Varia / Feltrinelli

Gabriele Romagnoli
Senza fine

La meraviglia dell'ultimo amore

Feltrinelli

© Giangiacomo Feltrinelli Editore Milano
Prima edizione in "Varia" ottobre 2018
Quarta edizione gennaio 2019

Stampa Grafica Veneta S.p.A. di Trebaseleghe - PD

ISBN 978-88-07-49247-1

Le frasi citate dall'autore sono tratte da:

Julian Barnes, *L'unica storia*, Einaudi, Torino 2018 (alle pp. 11-12); Richard Ford, *Tra loro*, Feltrinelli, Milano 2017 (a p. 33); Søren Kierkegaard, *Diario di un seduttore*, Giunti Demetra, Milano 2008 (a p. 43); John Williams, *Stoner*, Fazi, Roma 2016 (alle pp. 61-62); Josephine Hart, *Il danno*, Feltrinelli, Milano 1991 (a p. 71); Emmanuel Carrère, *Io sono vivo, voi siete morti*, Adelphi, Milano 2016 (a p. 73); David Schickler, *Baciarsi a Manhattan*, Einaudi, Torino 2004 (alle pp. 75-76); Kent Haruf, *Le nostre anime di notte*, Milano 2017 (a p. 85); Dave Eggers, *Eroi della frontiera*, Mondadori, Milano 2017 (a p. 89); Jad El Hage, *The Last Migration. A Novel Of Diaspora And Love*, Panache Publications, Sydney 2002 (a p. 92; la frase è stata tradotta dall'autore).

www.feltrinellieditore.it
Libri in uscita, interviste, reading, commenti e percorsi di lettura. Aggiornamenti quotidiani

razzismobruttastoria.net

Senza fine

New York, Falluja

Non è il primo amore che conta, è l'ultimo. Sul primo si è già scritto tutto, a cominciare dalla sciocchezza secondo cui non si scorderebbe mai. Viviamo sempre più a lungo, ci consegniamo a malattie senili che comportano la perdita della memoria, quel che ci ha segnati a sedici o a vent'anni non ci segna per tutta la vita: spesso si riduce a un nome sulla punta della lingua, una vecchia foto scolorita che ritrae un volto vagamente familiare. A essere indimenticabile, invece, è l'ultimo amore, perché è lì, ancora.

Viviamo sempre più a lungo, questo è il punto. L'idea di un amore giovanile che duri per sempre appartiene ad altre generazioni: un'utopia facilitata dagli eventi storici. La durata di una vita media era un tempo assai breve: due si sposavano, lui andava in guerra e spesso non tornava, altrettanto spesso lei ne sposava in seconde nozze un parente, che a sua volta andava in guerra e non tornava, oppure tornava e non la trovava più, vittima della peste, del tifo, di altre malattie che abbiamo debellato.

Viviamo sempre più a lungo e dobbiamo prepararci a quel che Woody Allen scongiurava in uno spot pubblicitario: "Fino a centoventi anni? E quanti divorzi dovremo affrontare?". Lo scrittore americano Norman Mailer, che di anni ne visse "soltanto" ottantaquattro, si sposò sei volte. A chi gli chiedeva che problemi avesse con il matrimonio rispondeva: "Nessuno. Anzi, è tutto bellissimo. Vivi per qualche tempo a Parigi, città fantastica. Poi ti trasferisci a New York, altrettanto straordinaria. Poi scopri Londra e il viaggio continua". Sempre felicemente, per lui: par di capire che escludesse la possibilità di capitare a Falluja. Ma Falluja, prima o poi, aspetta tutti, e da lì bisogna solo uscire vivi, senza portarsi via nient'altro che la pelle e un cuore riparabile. Il rischio Falluja è più forte all'inizio della vita, ma molto più grave alla fine. Per due motivi.

Il primo è che non hai più tempo per rimediare e muori a Falluja, anziché a Città del Capo o a Venezia.

Il secondo è che dimostri a te stesso di aver vissuto invano, senza imparare. Si possono fare errori da principianti, ma quelli da veterani sono imperdonabili.

Quando negli anni novanta mi trasferii a New York, un amico mi avvertì: "Inevitabilmente, la prima casa che sceglierai sarà sbagliata. Non conosci la città, non sai di che cosa avrai necessità o desiderio, dove vorrai rientrare la sera e da dove uscire la mattina. La tua vera casa sarà la seconda". Era un ottimista. Per arrivare a sentirmi dove volevo essere, ho impiegato molto più di un trasloco. Vale per ogni città del mondo, e per ogni situazione.

La prima convivenza, o matrimonio, è più facile sbagliarla che azzeccarla: non per responsabilità altrui, ma propria. Non conosciamo a fondo, o non vogliamo riconoscere, le nostre necessità e i nostri desideri, non sappiamo da chi vogliamo tornare la sera o chi ci dispiacerà lasciare al mattino, perché non conosciamo o riconosciamo ancora noi stessi. Recitiamo, proiettiamo l'immagine della parte che ci siamo assegnati. Andiamo a tentoni, ispirati da un'intuizione che soltanto più avanti diventerà affidabile, quando saremo abbastanza navigati e naufragati da individuare la scelta giusta in un batter d'occhio. Anche se non sempre avremo il coraggio di farla.

Prima di allora, ricordiamoci due cose.

Anzitutto, che le possibilità a disposizione non sono poi così tante. È un po' come nel tifo sportivo: sostieni la squadra della tua città o di una città dove ti sei trasferito, oppure una che vince quando scopri quella passione. Non è un innamoramento che sboccia tra milioni, e neppure migliaia, di possibilità. Così è per il primo amore: lo incontri nel quartiere, a scuola, sul posto di lavoro, nella tua città, in un'altra dove andate entrambi in vacanza, o su un mezzo di trasporto. Comunque una magia, ma che si realizza in un perimetro ristretto. La seconda occasione tenderà, anche se non necessariamente, ad allargare quel perimetro. L'ultima avverrà all'interno della massima estensione della tua vita. Questo non significa che avrà analoga possibilità di successo.

In Valchiusella, Piemonte, la comunità Damanhur celebra una forma di matrimonio che, anziché morte non separi gli sposi, dura per due anni, rinnovabili, come un contratto d'affitto. La durata media risulta simile a quella dei matrimoni tradizionali interrotti da divorzi. Una semplice dimostrazione della seconda cosa da ricordare: a contare più di tutto non è l'impegno che si prende, ma quello che ci si mette. Che sia la prima casa, la seconda o l'ultima. È però in questa che non puoi sbagliare il posizionamento del letto e, ancor meno, il materasso.

Ora, può darsi abbia ragione lo scrittore inglese Julian Barnes quando fa dire alla protagonista del suo romanzo *L'unica storia* (e se uno scrittore fa dire qualcosa a un protagonista di un suo romanzo spesso lo pensa): "Ognuno di noi ha la sua storia d'amore. Tutti quanti. Magari è stata un fiasco, magari si è consumata poco per volta, magari non è nemmeno riuscita a partire, o magari è successa solo nella nostra testa, il che non la rende meno reale. Anzi, a volte è proprio il contrario. [...] L'unica e sola storia". Può darsi, ma non ne sono convinto. Cercherò di dimostrare che non è così, che di "uniche storie" ne abbiamo due. A volte è la stessa a dividersi in due parti. Oppure è la stessa a prendere una diversa, irriconoscibile forma. Altre volte ce n'è una all'inizio e un'altra al termine dei tre possibili percorsi che portano all'ultimo amore: il cerchio, la linea retta e quella spezzata. E non è sempre vero che conta il viaggio, non il traguardo. Innamorarsi e disamorarsi, sposarsi e divorziare, fare figli e stare soli, gioire e soffrire per arrivare a Falluja non sarebbe una gran riuscita. Significherebbe che da qualche parte lungo il percorso ci si è persi e non si è più capito cosa fare. Quel che si è smarrito non è la possibilità dell'altro, ma la concezione di sé. Ritrovarla, finché c'è tempo, è l'unica salvezza.

Ripercorrerò le tre strade che ho visto seguire, poi ognuno trovi la propria. E lo farò nel solo modo che conosco: non esponendo teorie, ma raccontando storie che le dimostrano. In questo sono totalmente d'accordo con Julian Barnes: "L'amore non può essere racchiuso in una definizione, può esserlo forse soltanto in una storia". Iniziando con la più paradossale: il percorso del cerchio.

Beati gli ultimi, se sono i primi.

Un tandem arancione

Molti anni fa mi trovavo in vacanza in Sudafrica, viaggiavo lungo la Garden Route su un'auto presa a nolo: cercavo un posto in cui passare la notte in una baia riparata dal vento.

Gli abitanti affittavano stanze nelle loro ville sulla costa. Mi fermai davanti alla prima che esponeva il cartello. La gentile proprietaria mi condusse all'interno, splendidamente arredato, fino a una camera spaziosa, con un letto a tre piazze e una grande finestra da cui si vedeva il mare. Tutto perfetto, o quasi. La casa era infatti sul lato della strada più lontano dalla spiaggia, bisognava attraversarla per arrivarci. Un difetto di poco conto, ma pur sempre un difetto. Magari era possibile trovarne una che fosse altrettanto bella e sul lato giusto. Ringraziai e proseguii.

La casa successiva era praticamente costruita sulla sabbia: da fuori, uno spettacolo; dentro, un disastro. La camera che mi venne proposta dava su un cortiletto e la finestra inquadrava lo stenditoio dei panni. Di nuovo, ringraziai e proseguii.

La terza casa era buia, la quarta odorava di muffa, la quinta era, ancora, sul lato sbagliato.

L'ultima, in fondo alla baia, era la peggiore.

Quando ne uscii, mi accorsi di tre cose. Era scesa l'oscurità. Tutte le case a quel punto si equivalevano (a parte forse quella ammuffita). E la migliore rimaneva la prima, raggiungibile solo a costo di una lunga, faticosa e magari inutile marcia indietro. Mi ripeto spesso questa storia come monito e credo che qualcosa del genere sia capitato a tutti, nella vita o nell'amore.

Quel che è successo a Lana e Carlo è invece la sua forma epica.

Quindi, inevitabilmente, si comincia dalla Grecia.

È un giorno d'estate del 2004. Un piccolo gozzo accosta davanti alla spiaggia di un'isoletta sul Canale d'Otranto, appena ottanta chilometri dal suolo italiano. Ne scendono un uomo e una donna. Lui ha un'andatura incerta, ma procede da solo. Lei, che non lo guarda, è sempre qualche passo avanti. Cercano un posto dove pranzare. Uno del luogo, scoperta la loro provenienza, consiglia "la taverna dell'italiano". Si fidano. Trovano un tavolo sotto il pergolato, vicino al mare. Aspettano in silenzio che venga qualcuno a prendere le ordinazioni. Appare una bambina o poco più. Ha, in realtà, undici anni. È minuta e composta: non gioca a fare la cameriera, prova ad esserlo. Mentre indica le portate che ha scelto, l'uomo è attratto dagli occhi della bambina. Sono di un azzurro purissimo, quasi trasparente. Il mare, al confronto, si ritira. Non sono gli occhi in sé a colpirlo, è il ricordo che fanno affiorare.

Sono passati trent'anni. Lei aveva la stessa età che ha ora questa bambina, gli stessi occhi. Si sono persi di vista. Lui sta perdendola, la vista. Per questo viaggia tanto: vuole vedere il mondo finché può. Per questo lavora tanto, nella sua piccola impresa: vuole guadagnare abbastanza prima di doversi ritirare. Non osa più guardare la bambina mentre porta loro frutta e caffè. Dovrebbe fissarla per metterla meglio a fuoco, ma per quegli occhi non ce n'è bisogno: li ha dentro. Si alzano, vanno a salutare il taverniere. Lui fa domande caute. Da quanto tempo sono qui, da dove vengono. Ogni risposta gli accelera il battito cardiaco. Il luogo coincide, il tempo pure. Il padre della bambina è separato. E la moglie si chiama... Lana. Fa parte di quel pugno di ragazze degli anni sessanta condannate dall'ammirazione dei genitori per un'attrice americana, Lana Turner. L'uomo, che si chiama semplicemente Carlo, cerca di non far trasparire l'emozione.

"Quando tornai alla barca camminavo sull'acqua," mi dirà poi su un'altra isola, Lampedusa. Seduto su un muretto, porta un panama bianco e grandi occhiali scuri. Ogni sua incertezza è corretta dalla donna che da due anni gli sta al fianco: Lana, con i suoi occhi di un azzurro purissimo, quasi trasparente.

Raccontano la loro storia, un inseguimento durato oltre quarant'anni, un gioco a nascondersi con il destino che sfida il precedente letterario di Fermina Daza e Florentino Ariza ai tempi del colera. Quando è cominciato lui aveva tredici anni e lei due di meno. Si vedevano nei corridoi e all'uscita di scuola. Lui era innamorato e titubante. Lei spaventata da quello che le sembrava "uno più grande". Si scambiarono molte parole e un solo bacio, in pochi mesi che sembrarono stagioni. Lui le scrisse, con la grafia di un adolescente, una lettera che lei non gettò mai. Poi scomparve. Non le disse perché. Era morto suo nonno: il primo grande dolore della sua vita. Ne avevano composto il corpo adagiandolo nella bara esposta al primo piano della casa in campagna, ma lui non riuscì a salire le scale. Lo immaginava con le palpebre abbassate, senza più i grandi occhiali scuri con cui lo ricordava. Ora sapeva: il nonno aveva perduto progressivamente la vista per una malattia ereditaria che aveva risparmiato suo padre ma era toccata in sorte a lui. Intorno ai quarant'anni le ombre avrebbero cominciato ad avanzare, oltre i cinquanta sarebbe scesa la notte. Non poteva combatterla, non voleva condividerla. Poteva accettarla, ma da solo. Nella sua testa di ragazzino l'amore necessitava di perfezione, non sapeva che ha bisogno del vuoto intorno a cui camminare per mostrarti i confini delle possibilità. Se ne andò, ma non dimenticarono mai, né lui né Lana. In un certo senso rimasero seduti sui gradini di una vecchia casa ad aspettarsi. Certo, la presero alla larga. Lei si sposò due volte, lui una.

Al matrimonio di Carlo, Lana era presente, anche se non era stata invitata. Entrò in chiesa da sola, poco dopo l'inizio della funzione, con un abito elegante per passare inosservata, come fosse una cugina ritardataria. Seguì la cerimonia accanto a una colonna, cercando di spiare l'espressione dello sposo e le fattezze della sposa. Scosse più volte il capo, senza riuscire a dominarsi. Fuggì appena ebbero pronunciato entrambi la promessa, senza voltarsi, pensando che non l'avrebbe mai più rivisto, escogitando per riuscirci abili stratagemmi, nella forma di altri matrimoni. Dal primo, rapido e quasi indolore, ebbe la bambina con i suoi stessi occhi. Dal secondo, la sofferenza di un legame difficile da sciogliere. Una sola persona avrebbe potuto tagliare il nodo, ma era lontana, forse aveva dimenticato.

Carlo, anche lui, stava fuggendo, ma da se stesso. La profezia familiare si stava avverando e tutto quel che poteva fare, pensava, era consumare la vita più in fretta, finché l'aveva davanti ed era in grado di vederla, quindi affrontarla. Lavorava e viaggiava, metteva da parte soldi e ricordi. Era un uomo ricco, navigato e infelice. Aveva visto il mondo ma, come capita ai ricordi mal condivisi, si chiedeva spesso se non l'avesse soltanto sognato e concludeva che non avrebbe fatto, in fondo, una gran differenza.

Al ritorno da quell'isoletta greca portò con sé un mito: la possibilità di una scelta perfetta. Lo iscrisse in un cerchio altrettanto perfetto, in cui l'ultimo amore era in realtà il primo. Per cercarlo avrebbe dovuto sfidare quell'oscurità imminente in cui tutta la luce si sarebbe trasformata in un inganno. Condusse un'indagine, trovò un numero di telefono. Un giorno in cui stava attraversando l'Italia per lavoro lesse il nome della cittadina tra quelli indicati nei pressi di un'uscita autostradale. Cedette all'impulso e svoltò. Ma non aveva l'indirizzo esatto e non voleva chiedere di lei a sconosciuti o, peggio, a chi avrebbe potuto conoscerla. Fece un giro completo e poi si fermò in un vialetto alberato, con il cuore sbigottito di un tredicenne. Compose il numero e gli rispose una voce femminile, che non era Lana. Era sua madre. Si presentò, non ebbe bisogno di ricordarle chi era. Per qualche motivo la donna aveva ancora ben presente quel ragazzino, e altrettanto bene sapeva che uomo era diventato. Gli disse che Lana non era in casa, le avrebbe riferito della sua chiamata.

Non mantenne la parola, non glielo disse mai. Lana era in ospedale, il giorno dopo avrebbe subìto un difficile intervento. Il marito che non amava più le era tuttavia al fianco. La madre pensò che fosse suo dovere proteggerla dal turbamento e tacere. Rinviò la felicità di un decennio. Carlo rimise in moto facendo inversione a U in quel vialetto alberato. Non seppe mai che il suo messaggio non era arrivato, né che quel giorno, tra tanti, era il più significativo per cercare Lana, e neppure, soprattutto, di aver parcheggiato per telefonare proprio davanti a casa sua.

Non si arresero. Perché avrebbero dovuto? Perché a un certo punto della vita quasi tutti lo fanno? Pensano che sia diventato impossibile o cercano di convincersi che non ne vale la pena? È di se stessi che non si fidano più, o della vita che avevano creduto infinita in ogni possibile senso e invece si è ristretta, giorno dopo giorno?

Mentre ascolto Lana e Carlo raccontare la loro storia penso due cose.

La prima è che, tra tutti e due, hanno collezionato tre matrimoni infelici, due malattie di cui una difficile da sconfiggere e l'altra da accettare, quarant'anni di vana attesa. Eppure ce l'hanno fatta, quando per chiunque altro sarebbe stato troppo tardi. Come ci sono riusciti?

La risposta mi viene dalla seconda cosa che penso, un aforisma del filosofo Friedrich Nietzsche che mi ha preso residenza nella testa da quando l'ho letto: "Maturità dell'uomo: ritrovare la serietà che da bambini si metteva nei giochi". Questi due sono arrivati oltre i cinquant'anni con lo stesso atteggiamento di quando ne avevano rispettivamente undici e tredici, immutata determinazione e capacità di contemplare l'impossibile come un'eventualità. Bambini. Personalmente non ho alcun rimpianto per la mia infanzia. Mi parve crudele e disperata, tutto era amplificato dall'impossibilità di mettere le cose in prospettiva, dalla mancanza di relativismo, una condizione che avrei trovato salvifica. Ogni cosa ti assorbiva completamente, a ogni cosa dedicavi tutto te stesso, eri sincero, eri lì e allora. Se scrivevi un biglietto d'auguri per la festa della mamma ti impegnavi più di quanto abbia visto in seguito scienziati quarantenni per la pubblicazione di una ricerca. Ma c'era una cosa ancora più importante, definita da una frase che in questo contesto mi appare perfetta: sapevi giocare finché faceva buio. Giocare finché fa buio: ecco che cosa hanno fatto Lana e Carlo, come due bambini seri. Per questo, prima che facesse buio, hanno vinto.

Era un giorno d'estate, di nuovo. Lei era in casa, intenta a preparare la valigia per un viaggio con il marito. Da qualche mese vivevano separati e quello sarebbe stato un estremo tentativo per tornare insieme. Una settimana sempre vicini per riscoprirsi o impazzire. Il telefono suonò mentre stava piegando un costume blu bordato di bianco. Era una sua compagna di scuola, di quarant'anni prima, in un'altra città, l'aveva sentita l'ultima volta non avrebbe saputo dire quando. Stava provando a organizzare una cena di classe per reduci della vita. E, indovina? C'era finalmente riuscita. Era per quella sera. L'aveva cercata invano a numeri cancellati, indirizzi cambiati, infine l'aveva trovata grazie alla madre, che stavolta si era prestata a dare una mano al destino. Fu insistente. O forse fu Lana a essere arrendevole, perché cercava una scusa per evitare quel viaggio. Disse sì, sarebbe andata, erano soltanto cento chilometri, poco più di un'ora. Telefonò al marito, annullò partenza e matrimonio. Prese dalla valigia un vestito blu, lo indossò e salì in macchina. Si sentiva piena di energia, c'era ancora luce: stava giocando finché avrebbe fatto buio.

Guidò fino al ristorante dove si teneva la cena di classe. Tra tutti i compagni sperava di vederne uno: Giacomo. Non che le importasse di lui. Si augurava di incontrarlo perché era il migliore amico di Carlo. All'epoca erano stati inseparabili, sapevano tutto l'uno dell'altro. Giacomo poteva sapere ancora, ma non c'era. Non era nella sala con gli altri, forse stava per arrivare, poi si sedettero e lui ancora mancava. C'erano però alcuni posti vuoti. Si fece coraggio e chiese all'amica che l'aveva invitata. Le rispose che sì, Giacomo aveva confermato e detto che avrebbe portato qualcuno, probabilmente la moglie. Arrivò mentre servivano i primi, da solo. Salutò tutti e annunciò una sorpresa. Fece qualche passo indietro e disse: "Vi ho portato... Carlo!". Sbucò dalla parete, appoggiandosi al braccio dell'amico. Per Lana sbucò da quarant'anni di oscurità e fu lei a cercare il suo braccio per trovare appoggio nel darlo.

La raccontano come una cosa naturale. Di più: ineluttabile. Quella sera e quel che accadde dopo. Carlo si sentì accolto e l'idea di scivolare nell'oscurità gli divenne accettabile, perché lei l'accettava. Lana perse ogni paura, di lui e del futuro. Ne parlano con un sentimento vicino all'orgoglio, come se avessero compiuto un'impresa. E in effetti è così: hanno lo stesso atteggiamento degli atleti che hanno realizzato una rimonta, quel misto di stupore, felicità e perdurante determinazione. Senza alcuna rivalsa, ma con la tranquillità della riuscita che tutto prova. Anche se è nella quotidianità a seguire che stanno dando il meglio di sé. Li trovi sugli scogli di Lampedusa o in cima a una montagna del Cadore e ti chiedi come ci siano arrivati, ma la risposta è facile: appoggiandosi l'uno all'altra.

Poche settimane dopo quella cena, nel cuore di una notte, Carlo aveva mandato un messaggio a Lana: *Cerca una casa*. Lei l'aveva trovata tre giorni più tardi, sull'Appennino tosco-emiliano.

Mi ci hanno portato, in quella casa, perché volevano farmi vedere qualcosa di speciale, nuovo di zecca. Mentre salivamo lungo la strada ho provato a domandarmi che cosa potesse essere, immaginando – date le circostanze – le cose più imprevedibili, tipo un bambino vietnamita appena adottato. Siamo arrivati davanti a una villetta a due piani ma, anziché al cancello, mi hanno condotto verso il garage. Con l'espressione felice di chi alza il sipario su una rappresentazione preparata con cura, Lana ha tirato su la serranda e mi ha fatto segno di guardare.

Era fiammante. Era arancione. Era un tandem.

Silenziosa, dentro di me parte la più colorita delle esclamazioni, che qui non riporto: ...un tandem! Non ne vedevo uno dagli anni sessanta sul lungomare di Rimini, dove li noleggiavano ai turisti. Un tandem. Lana si lancia in spiegazioni tecniche sulla pedalata assistita, mi mostra le batterie, la ricarica, il cambio, le gomme. Carlo sancisce: "Costa come un'utilitaria". Certo, ma ha un significato settemila volte superiore. Non so se lo abbiano fatto apposta, e neppure se si siano resi conto che stavano realizzando la simbologia perfetta. Domando timidamente: "Mi fate vedere come funziona?".

Non sto chiedendo di provarlo, naturalmente, sto chiedendo di vedere loro due, sul tandem arancione. Ed eccoli lì che partono come una coppia di nuoto sincronizzato, e non li preoccupa l'immediata discesa perché hanno memorizzato l'imminente risalita. Li guardiamo, mia moglie e io, consapevoli del nostro privilegio: poterci alternare alla guida. Ma il privilegio è un dono che non hai fatto nulla per meritare e puoi soltanto perdere. È allora che saranno necessari il merito, la forza, il coraggio. E, più di ogni altra cosa, l'amore. L'amore per quello che c'è e l'amore, ancora più grande e definitivo, per quello che manca, l'abbraccio del vuoto, lo slancio di fede, quel che crediamo impossibile quando non riusciamo a immaginarlo. Immaginare, oltre il visibile, è il primo passo. Poi occorrono la volontà, la realtà aumentata, la pedalata assistita. E, certo, il tempo, il regalo del tempo, che ti toglie tanto ma altrettanto ti offre, se sai coglierlo.

Mentre il tandem arancione scompare dietro la prima curva mi giro verso la casa e soltanto allora mi accorgo che è l'ultima, l'ultima sulla collina.

Quella casa puoi averla vista di sfuggita, un giorno lontano, poi è diventata meno che un ricordo: un'ombra. Eppure ti ha aspettato, in un angolo della mente. Magari, abitata da un fantasma.

Il fantasma della spiaggia

Il giorno di Capodanno del 2018 sono stato a pranzo a Giulianova con due amici, due personaggi particolari. Entrambi hanno avuto precedenti con la giustizia. Il primo, Gaspare Mutolo, è un noto pentito di mafia, forse il più importante dopo Tommaso Buscetta. A differenza di don Masino e di molti altri, un pentito vero, non per vendetta o calcolo ma per convinzione. Autore di numerosi omicidi su ordine del suo capo, Totò Riina, esercitò un'autentica obiezione di coscienza quando si trattò di giustiziare, anziché rivali di mafia o picciotti che avevano sgarrato, loro parenti. O magistrati. O tutori dell'ordine. Ora condanna tutto, senza rinnegare niente. Ammette la violenza e i traffici peggiori, quelli di droga. Su una nave partita dalla Thailandia e diretta in Sudamerica con un carico di eroina fece salire un giorno lontano del 1983 il secondo commensale, Fioravante Palestini detto Gabriellino, più conosciuto come l'Uomo Plasmon per una pubblicità di biscotti che girò da giovane mostrando il suo corpo scolpito, di spalle, mentre brandiva un martello. In Sudamerica la nave non arrivò mai, fu fermata all'imbocco del Canale di Suez e Gabriellino si fece oltre vent'anni di galera in Egitto. A quel tempo lavoravo al Cairo, andai ad accoglierlo quando venne rilasciato e, tornato in Italia, lo rimisi in contatto con Mutolo, che avevo conosciuto per un'intervista, divenuto frattanto un mansueto nonno e pittore. Mi attraggono le persone di quel tipo, non per il passato criminale ma per il cambiamento che hanno saputo operare su di sé, come "autochirurghi" che devono salvarsi la vita strappandosi e ricucendosi l'anima. Ogni amore è anche questo, un intervento su se stessi per offrirsi all'altro. Come nella chirurgia più complessa, le percentuali di successo non sono elevate. In quel caso, ero di fronte a un due su due.

Arrivano insieme, su una vecchia utilitaria da cui scendono a passo di carica, uno immenso con un torace carenato che fende l'aria e lo trasporta ogni estate da Giulianova alla Croazia e ritorno remando su un pattino, l'altro piccolo e svelto, un pericolo scampato a se stesso. Per anni ho pensato di scrivere una sceneggiatura su di loro, non sul passato avventuroso ma su questo momento preciso che stanno vivendo, questa sorta di deriva felice in un tempo supplementare in cui, dopo le sparatorie a Palermo, i bordelli in Germania, i traffici in Asia, scoprono la vita quotidiana e hanno l'ultimo soprassalto di coscienza: sarebbe stata meglio quella vita lì, quella che a vent'anni, e a trenta, doveva essere sembrata una fesseria.

La tavola è apparecchiata per cinque. Mia moglie mi ha accompagnato. Gaspare è solo. Rimane da occupare il posto accanto a Gabriellino. Si apre la porta ed entra una donna ancora abbigliata per il veglione della sera precedente: nero e strass. Abiti e accessori dall'aria costosa. Si presenta e già da poche parole si intuisce un'istruzione superiore. È in effetti una dottoressa, specializzata in neurologia, affermata nel suo campo. Ha una decina d'anni meno di Gabriellino e ancor meno ne dimostra. Separata, ha tre figli. Immagino il suo matrimonio implicasse un marito molto diverso da questo pirata a riposo che solca l'Adriatico sbuffando.

In molti album degli amori, la vita mette accanto fotografie che sembrano scattate su pianeti diversi. Questo, nella mia esperienza, vale soprattutto per le donne. Anni fa stavo intervistando un ex ministro della Repubblica, Paolo Cirino Pomicino, appena uscito da un difficile intervento chirurgico, un trapianto al cuore. Doppio. Aveva infatti anche una nuova compagna. Lei entrò nella stanza, nettamente più giovane, e rivelò di averlo conosciuto come amica della figlia. Poi una sera, all'ingresso di un cinema, lo aveva incontrato, fresca di separazione: l'ex marito era stato un calciatore della Roma, Odoacre Chierico, che aveva lasciato memoria per qualche dribbling sulla fascia destra ma ancor più per le sembianze da visigoto, anzi da statua lignea di un guerriero visigoto. Per chi non conoscesse la politica, o il calcio, o nessuno dei due, basti un veloce sopralluogo su Google, la ricerca e l'accostamento delle due immagini, Cirino Pomicino e Chierico: due mondi paralleli. Li avessero chiusi nella stessa stanza, non avrebbero saputo di che parlare, come due anime incarnate a distanza di millenni nella prateria del giudizio universale. Solo dio saprebbe come rivolgersi a entrambe. Solo una donna era stata in grado di farlo, ma in epoche diverse. L'amore della gioventù e quello della maturità. Manca una riga all'*Ecclesiaste*: "C'è un tempo per Odoacre Chierico e un tempo per Paolo Cirino Pomicino".

Com'è arrivato il tempo per Gabriellino, nella vita della dottoressa?

È lei stessa a raccontarmelo. In realtà lei racconta tutta la storia, ma la risposta è in un dettaglio, come la soluzione del giallo sta, spesso, in un indizio.

Dice: "Lo vidi per la prima volta, tanti anni fa, sulla spiaggia, io ero una ragazzina, lui un uomo".

Trasognata prosegue: "Stavo sdraiata sul telo, leggevo un libro, alzai gli occhi: lui camminava sulla riva insieme alla sua donna, una tedesca bionda con i capelli mossi dal vento. Erano entrambi abbronzati e avevano dei costumi bianchi che luccicavano, erano bellissimi, di una bellezza accecante".

Cinquant'anni, mezzo secolo, una vita, per entrare in una fotografia, fare di un ricordo il proprio presente, possedere il mito. Come resistere? Incontri a trent'anni la compagna di liceo di tua sorella che veniva a studiare quando eri bambino e le spiavi dalla porta socchiusa mentre lei (ti confesserà) fingeva di non accorgersene; a una festa ti appare l'attrice di film erotici su cui fantasticavi da ragazzo, o meglio la sua ombra, ma te la porti a casa e, a occhi chiusi, ne ricostruisci lo splendore; vai a riprendere la professoressa che ti aveva fatto perdere la testa sui banchi di scuola e la trascini con te all'Eliseo.

Che cosa è successo?

Nel fulgore della gioventù abbiamo intravisto, e adornato, il mito. A differenza dell'eroe, il mito si afferma senza bisogno di prove. Si mostra e non si dimostra. È una fantasia che spodesta il reale, ma soltanto all'interno della nostra mente. Una sineddoche che esplode fino a diventare il tutto. Proprio perché non si è cimentato – e quindi non si è compromesso – con il reale, il mito non si è consumato, non è mai decaduto, non è sceso dal piedistallo su cui era stato posto. La sua forza nasce da un percorso in cui l'immaginario batte il reale perché non è mai partito. Tu hai attraversato la vita, sei invecchiato, sei stato ferito dalle delusioni, dai disamori, dalle spalle girate di chi se n'è andato o più semplicemente dal tempo. Il mito invece è rimasto intatto. Solo per te, ma è rimasto intatto. Perché proietti sul muro del presente un filmino Super 8 di immagini trascorse. Il pulviscolo nel fascio di luce aggiunge la magia, ti riporta in un teatro sulla costa, forse parte dell'installazione di un circo, ricordi perfino una ruota panoramica, un pomeriggio di fine estate, struggente per definizione, tuo padre sembrava ancora un baluardo, il momento del prestigiatore, un giovane uomo dagli occhi scintillanti che produceva colombe e fazzoletti e, nella memoria, accoglieva stelle cadenti nella cavità del cilindro, prima di porselo sul capo celeste.

Lo rivedi decenni dopo in televisione misteriosamente immutato, e altrettanto misteriosamente sorridi, sei felice, perché ha appena fatto un'altra magia: ha reso immutabile anche te. Ti ha restituito lo stupore, l'innocenza, la capacità di accettare tutte le possibilità e anche qualcosa d'impossibile. Non cambi più canale, resti a vedere quello spettacolo consumato in ogni possibile senso, che qualcuno accanto a te guarda con altri occhi e un ben diverso giudizio. Nessun altro uomo sul pianeta Terra vede la première dame di Francia, Brigitte, come la vede il suo ex studente e ora marito, Emmanuel Macron. Nessun altro può sovrapporre all'immagine di questa elegante signora di una certa età quella di una scattante trentenne la cui figura aveva per un ragazzo seduto al banco i contorni della Terra promessa. Puoi sognare di attraversarla, la Terra promessa, o di andarci a vivere. Può deluderti comunque, ma per non farlo dovrà combattere un fantasma, che le si oppone di continuo, invariabile e immortale.

E solo la dottoressa al mio fianco guarda il settantenne Gabriellino, indomito dopo anni di galera egiziana in cui ha imparato l'arabo e mai abbandonato la ginnastica, e vede un fusto abbacinante sulla spiaggia.

Io invece mi giro e vedo Gaspare, chiacchierone, indaffarato e, sotto la superficie, devastato: è da poco rimasto vedovo. La volta precedente ci eravamo incontrati in un'altra città, in un bar del centro, arredato con séparé. Era ancora scosso. Parlando della moglie si era commosso. Quando mi ero alzato per congedarmi, invece di seguirmi aveva detto: "Resto qui... ancora un poco". Davanti alle tazzine di caffè in cui lo zucchero si era raggrumato sul fondo, le bustine stracciate, la luce che si rifletteva sul tavolo bianco e lui che avrebbe voluto spegnerla. Lacrime che non potevano più riparare niente, da nascondere per orgoglio. Per che cosa piangeva un uomo con la sua storia? Per sua moglie, per il vuoto che aveva lasciato, per quel primo amore che era stato anche l'ultimo. Un uomo come lui ti parla più facilmente di Totò Riina che della sua compagna di vita. Di un omicidio piuttosto che di un bacio. Quel che so l'ho raccolto tra il racconto di un agguato e quello di un incontro con il giudice Borsellino, nella seconda vita.

Lui aveva vent'anni, lei tredici. La sorella di lui era sposata al fratello di lei. Alla famiglia della ragazza, Mutolo non piaceva per due motivi: "troppo vecchio"; poi, meno discutibile, era già in galera, per rapina a mano armata. Tentarono di darla in moglie a un cugino, ma lei, piccola com'era, si ribellò; voleva aspettare Gaspare. Ebbero quattro figli e le nozze d'oro. Metà di quegli anni lui li ha passati in carcere, "ma un po' alla volta, con gli intervalli che rendevano la cosa sopportabile". Più per lui che per lei. In casa loro entravano soltanto "colleghi" e rispettive mogli. Lei sapeva? Sì, anche se non ne parlavano mai. Lo accompagnò a Napoli per farsi "combinare". Lavò i suoi indumenti sporchi di sangue. Giocò a tombola la vigilia di Natale in casa Riina. Frequentò i parlatori delle carceri di mezza Italia. Nella sua consapevolezza silenziosa c'era uno dei pilastri dell'amore: l'implicito. Di solito lo si impara con il tempo, l'esperienza, gli errori prodotti da parole di troppo e prese di posizione fuori luogo. Fino al momento in cui parlare e prendere posizione diventa indispensabile.

Lei lo fece il giorno in cui il clan vincente a cui apparteneva il marito giustiziò un rivale uccidendo anche il figlio di dieci anni. Lui, che non era stato informato dell'azione, era tornato a casa incredulo. Glielo aveva raccontato scuotendo la testa. Disse: "Io non l'avrei mai fatto. Regolamenti di conti sì, quanti ne vuoi, ma se c'era la moglie o, figurarsi, i bambini, si rimandava. Che cosa sta succedendo? Che cosa stiamo diventando?". Fu la prima volta in cui lei gli disse: "Gaspare, tu devi cambiare vita, non importa che cosa c'è dopo".

L'ultimo amore di Santina Maria De Caro in Mutolo è stato un altro uomo contenuto come una matrioska in quello che aveva sposato. Ci sono voluti anni di quella frase ripetuta – "Gaspare, tu devi cambiare vita" – perché infine accadesse e lei si ritrovasse con un diverso nome, in un'altra città e moglie di un pittore che dipingeva casette colorate, panni stesi alle ringhiere, il mare di Mondello in cui non si sarebbe tuffato mai più.

La prima delle due donne ha amato il mito, immutabile anche nella metamorfosi dell'uomo.

La seconda ha prodotto e amato l'esito di quella metamorfosi: un altro uomo. Come è stato, alla fine, mio padre.

Sul 27 barrato

Comincio a scrivere questo capitolo su un treno diretto a Bologna. Ci vado per portare mio padre allo stadio, ancora una volta. Ora ha ottantasette anni e due stampelle, che valgono tre anni l'una e portano il totale dell'età a novantatré. I suoi capelli sono rimasti neri, ma la sua anima è ferita. Un mese fa ha perduto sua moglie, mia madre, il nostro faro.

Il bisogno di consolazione richiede cerimonie. Andare allo stadio è una cerimonia e io l'ho capito per un caso fortuito. Mentre mio padre frequentava l'ospedale ha smarrito il portafogli. Gliel'hanno ritrovato l'indomani, semivuoto. Spariti soldi e carte di credito. Eppure lui, controllato il contenuto di uno scomparto, misteriosamente sorrideva: c'era ancora il biglietto della partita Bologna-Sampdoria, autunno del 1996, risultato finale 2 a 1, gol decisivo del russo Kolyvanov. All'epoca lavoravo come inviato. Reduce da un servizio a Rimini, ero passato da Bologna e, sorprendendolo, avevo proposto a mio padre di andare insieme allo stadio. Non ho conservato quel biglietto, lui sì. Tra gli amorevoli riti celebrati da padre e figlio, quello della partita, sugli spalti, mi era sembrato fino a quel giorno un luogo comune elevato a mito maschile, erede del bordello, antenato del nulla.

In quest'altra occasione il 2 a 1 è stato a sfavore del Bologna, sconfitto dal Milan per un gol decisivo segnato dall'italiano Bonaventura. Avevamo due posti in tribuna e, curiosamente, tutti gli altri erano occupati tranne quello accanto a mio padre. Lui allora si è spostato, lasciando tra noi uno spazio vuoto, sul quale ha posato la mano. Non ha detto niente, e nemmeno io. Il nostro è sempre stato un rapporto fondato non sui silenzi, ma sulla superfluità delle parole. Quando, nel 1992, mentre vivevo a Torino, gli annunciai al telefono che stavo per separarmi, prese il primo treno, andammo a pranzo, non disse nulla, ritornò alla stazione e di lì a Bologna, a casa. Il suo modo di amare consisteva nel farsi vedere, dichiararsi presente all'appello. Avrebbe fatto lo stesso anche con mia madre, che allo stadio non era andata mai, almeno fino a quella domenica. Ho posato anch'io la mano sul posto vuoto tra noi, a distanza da quella di mio padre. Era blu, il sole non lo raggiungeva.

La luce del sole è rimasta anche a fine partita, quando faticosamente abbiamo lasciato gli spalti, nonostante avesse cominciato a cadere una pioggia fitta e fine. Ci siamo riparati sotto un'affollata pensilina. È stato lì che ho confidato a mio padre l'intenzione di lasciare l'incarico che tanto lo inorgogliva da quando lo avevo assunto. Non riusciva a capire il perché, di che altro andassi in cerca. "Vedi," ho provato a spiegargli, "ogni volta che è finita una relazione sentimentale mi hai fatto la stessa domanda, quella di poco fa: perché, di che altro vai in cerca?"

Non lo sapevo allora e non lo so oggi, so soltanto che quando capisci di dover andare via devi farlo, se vuoi sperare di arrivare in un luogo da cui non voler ripartire al risveglio.

"Io non sono stato come te," ha detto mio padre, parlando di se stesso al passato. "Io sono stato sempre con la mamma, cercando di aggiustare le cose con il tempo... con la vita... un po' qua e un po' là... e alla fine andavano anche bene."

Per lavoro ristrutturava appartamenti o riparava guasti che negli appartamenti si producevano. Aggiustare era la sua specialità. Talvolta usava anche il verbo "accomodare". Sistemava, smussava, rendeva le cose fruibili, talora addirittura comode. Non era facile riuscirci, con mia madre: lei ti trascinava, e quando pensavi di aver visto il traguardo lo spostava un po' più in là. Questo era stato il suo segreto: tenerci impegnati, per limitare le nostre distrazioni. Aveva funzionato meglio con mio padre; io, essendo stato solo e solitario, avevo sviluppato troppa fantasia.

Ora, se esiste un altro mito familiare, è la storia d'amore dei propri genitori. È difficile accettarne l'ordinarietà, l'assenza di qualcosa, un particolare almeno, che la renda unica, se non nel bene almeno nel male. L'impresa più ardua che si possa compiere nel raccontarla è dunque restituirla per quel che effettivamente è stata, accettando di derivare da una vicenda e non da una leggenda. Vale per i miei genitori quel che lo scrittore americano Richard Ford ha scritto dei suoi nel memoriale *Tra loro*: "Quando erano insieme, compreso il tempo in cui io vissi con loro (e spesso a causa di questo), la vita – credo – sembrò loro migliore di qualunque vita avrebbero potuto aspettarsi, tenuto conto di come e dove era iniziata". Entrambi i miei genitori venivano da famiglia umile, dalla campagna, da studi interrotti troppo presto, nonostante vivaci potenzialità. Qualche volta li ho visti stupiti di quel che avevano raggiunto in seguito, benché non fosse niente di eccezionale. Era lì, nel contemplare quella soglia di soddisfazione, o addirittura di contenuta felicità, che mia madre diceva sospirando: "E adesso succederà qualcosa di brutto...". Mio padre scuoteva la testa in silenzio, lasciando a me, per questioni generazionali, il compito della protesta.

La memoria risolve il senso della storia nell'aneddotica e

così io procedo per scene stratificate e sovrapposte nel cercare di capire, sotto la pioggia e sotto il sole, significato e percorso dell'amore di mio padre. Tempo prima, allo sbocco da un'anestesia, dopo un riuscito intervento chirurgico durato sei ore, preso da euforia cercò di raccontare tentazioni e deviazioni, ma intervenni prontamente sulla farfalla che regolava il flusso del liquido nella flebo, riportandolo al sonno, custode nei secoli dei secoli.

Mia madre ha vissuto mio padre come una vocazione irrinunciabile, nel nome del figlio, certo, ma anche del dogma dell'irreversibilità delle scelte. Ne ha fatte poche, decisive, e non si è concessa neppure di pensare di rinnegarle. Quando le chiedevano del marito diceva: "È un gran lavoratore!". E io fin da bambino mi sono domandato se avrei voluto essere amato o ricordato così. Ma quello era il suo modo di amare, indefettibile e sicuro. Mio padre, il suo, lo ha accomodato e, alla fine, lo ha reso eroico.

Cinquantanove anni insieme hanno prodotto una sera d'inverno in cui mia madre, ricoverata in ospedale, stava cominciando a morire (perché tutto era quasi perfetto e quindi qualcosa di brutto era infine accaduto). Consumate la cena e le vaghe chiacchiere tra sconosciute accomunate da un breve destino, si era addormentata. Senza che se ne accorgesse, il cellulare in carica era scivolato sotto il cuscino. La suoneria, già al minimo per non disturbare, era stata ulteriormente attutita. A qualche chilometro di distanza, mio padre chiamava invano per il bacio della buonanotte. Nessuna risposta. La sera avanzava e la sua preoccupazione cresceva. Tentò di raggiungerla attraverso il centralino dell'ospedale, ma si perse nel labirinto di interni e reparti sbagliati. Allora, alle nove passate, si rivestì, calcò sulla testa un cappello da pioggia, prese le due stampelle e uscì di casa. Non osò guidare l'automobile sulla strada lucida. Non chiamò un taxi. Aspettò sotto il portico l'arrivo del 27 barrato. Si issò a bordo. Scese all'ottava fermata. Arrancò fino all'ospedale, salì al quarto piano, raggiunse la camera e si affacciò oltre la soglia, grondante. Sua moglie dormiva tranquillamente. Il filo del cellulare collegato al caricabatteria sbucava da sotto il cuscino. Una delle altre ricoverate lo vide, sorpresa. Lui accennò un saluto alzando la stampella, poi girò su se stesso, riprese l'ascensore, la strada lucida, il 27 barrato e poco dopo le undici raggiunse il suo letto e si lasciò cadere.

L'indomani all'alba, mia madre ascoltò dalla vicina un racconto di fantasmi gocciolanti nella semioscurità e credette fosse uno scherzo o una favola. Poi trovò la valanga di chiamate senza risposta e capì che quel fantasma era un uomo in carne e ossa riparate, sangue e sentimento. O meglio, che lo era diventato. Ci aveva impiegato cinquantanove anni? E allora? Le fotografie si scattano al traguardo. Ricordami così. Non accennare un applauso, basta un sorriso. Al mattino, quando mio padre si presentò con il pigiama di ricambio di cui lei aveva bisogno, mia madre contestò che non era stato stirato, si rifiutò di indossarlo e chiese le fosse riportato la sera nelle opportune condizioni. Lui avvertì la badante di attenderlo con il ferro caldo. La campagna di Russia della sera precedente finì in una nota a piè di pagina, quasi una preoccupazione esagerata, fuori luogo. L'anziana rom che fumava sigarette in corridoio, consapevole che il cancro ai polmoni era indifferente quanto lei, mi disse: "Sua madre troppo severa con lui", ma io sapevo che era un gioco delle parti nel quale ora tutto era concesso a lei.

Ho conosciuto i miei genitori per cinquantotto anni e per più di cinquanta sono stato in grado di valutarli, come individui e come coppia, ma ho sempre evitato di giudicarli. Certo è che mi sono apparsi un assortimento del caso e della necessità. Eppure, chi li ha incontrati solo nella fase finale ne parla come di un miracolo di unione, affetto, sostegno reciproco. Il bello è che io stesso posso confermarlo. Gli altri hanno visto il presente storico, io la storia farsi presente. Quella di due persone diverse che hanno cercato una strada comune e prima le hanno imposto il mio nome, ma alla fine le hanno dato il loro. Hanno rispettato i voti, nell'ultima fase li hanno onorati. Hanno lavorato tutta la vita, anche su se stessi. Non si sono limitati a sopportare, hanno portato alla loro costruzione quel che era mancato all'inizio e a metà. Non perché si siano arresi, ma per provare a vincere. Mio padre ha probabilmente sognato accanto a sé una donna più socievole e spregiudicata. Mia madre non ha sognato alcunché, perché se poi si fosse realizzato, allora sarebbe successo qualcosa di brutto. All'incrocio tra aspettative e timori li attendeva la realtà e con quella si sono misurati. Il tempo è stato un dono, ricambiato con l'impegno. Li ha aiutati la fragilità, tanto quanto la forza. Più di tutto, il saper trovare forza nella fragilità. È lì che mio padre ha compiuto il suo capolavoro. Mai stato in ospedale fino agli ottant'anni, successivamente ne è entrato e uscito come una vecchia auto dall'officina ricambi, con lo spirito e la curiosità di un aggiustatore che si vede aggiustato. Una valvola qui per evitare lo scoppio dell'aneurisma, due cazzuolate là per cementare i femori, una cornea usata al posto di una guasta.

Avrebbe avuto bisogno anche di un secondo trapianto di cornea perché il primo occhio, senza la collaborazione dell'altro, aveva ripreso a indebolirsi. Da lontano vedeva ancora bene, ma da vicino no, ed era una pena guardarlo, davanti a un giornale, scorrere faticosamente le righe con l'aiuto della lente d'ingrandimento. Era in lista d'attesa: la prima volta era trascorso più di un anno per ricevere la chiamata. A sorpresa, per il secondo tentativo fu contattato dopo sei mesi. Ascoltò e rispose educatamente: "No grazie, non posso".

E perché mai?

Sarebbe ritornato in fondo alla lista, avrebbe dovuto aspettare ancora e chissà per quanto, e nel frattempo l'altro occhio...

E perché mai, papà?

"Perché adesso è tua madre ad avere il problema più grande e io devo pensare a lei, non essere altrove per dedicarmi a me. Non voglio che lei si preoccupi, deve pensare solo a se stessa ora, e poi..."

Esitava a dirla, ma capivo che c'era un'altra ragione, così remota che non riuscivo a immaginarla.

"...e poi non voglio che lei creda che mi sto preparando per il dopo, per essere a posto quando lei non ci sarà più."

L'idea mi schiaffeggiò due volte: la prima per la certezza che conteneva, la seconda (il manrovescio) per quel che di mio padre rivelava: l'approdo. Era arrivato in porto.

Mia madre, sua sposa da una vita, era il suo ultimo amore.

Lui aveva cucinato una ricetta a fuoco lento, aggiungendo ingredienti a distanza di anni, a volte decenni. La sua invernale devozione aveva procurato sorpresa e allegria.

Il giorno in cui disse no al trapianto aveva imparato l'ultima manovra: il sacrificio. Mia madre invece lo conosceva per vocazione, di genere e generazione. Questo le aveva reso, in un certo senso, le cose più facili. Le sue scelte non conoscevano il dubbio, anche se implicavano la sofferenza. È per questo che sono affezionato alla storia di mio padre e quella racconto. In lui ci sono un percorso, qualche errore, una crescita. C'è il riscatto della minore sensibilità che nel tempo e con la rinuncia si fa devozione. Avere un talento è un dono, costruirselo una fatica. Si fanno i film su Salieri, più che su Mozart, su quell'impossibile rincorsa al sublime che in altri si manifesta semplicemente con l'apertura degli occhi. Mio padre è Salieri che a fine vita, davanti a un Mozart stremato, azzecca una sequenza di note perfetta. E quando si gira per ricevere un applauso, o un sorriso, Mozart non c'è più, è andato nell'altra stanza, per sempre.

Sono persuaso che tutti gli uomini e le donne che hanno perso chi amavano facciano prima o poi, ricordandoselo e no, lo stesso sogno. Io lo ricordo, anche se credo di averlo fatto una volta sola e molti anni fa. Nel sogno dio è un ciabattino, anziano ma senza barba, con una camicia azzurra abbottonata fino al collo e un grembiule di cuoio. Ti guarda e ti offre un paio di scarpe sfondate. Le tiene davanti a te facendole oscillare, poi dice: "Se le indossi e cammini senza sosta verso est per trecento chilometri puoi arrivare dall'amore che hai perduto e rivederlo, per un attimo. Poi morirai". Tu prendi le scarpe, senza esitare, te le metti ai piedi, parti e sei felice, felice da scoppiare.

Penso che mio padre abbia fatto quel sogno, e che nel sogno non avesse le stampelle. Si sarà stupito, di quello e della felicità, come della pioggia con il sole tra le gocce e tutta quella luce che splende per noi: non sarà questa l'ultima partita.

Una cosa ancora su quel sogno, una cosa vera.

Me l'ha raccontata una compagna di liceo, ora professoressa di scienze. Riguarda il suo, di padre. Disse che aveva fatto la campagna di Russia ed era scampato, ma non aveva mai smesso di parlarne, fino alla morte avvenuta decenni più tardi nel suo letto. Ricordava perfettamente la ritirata, ne sentiva ancora addosso le sensazioni. Avanzare nel gelo era una tortura, fermarsi una condanna. Diceva: "I russi avevano i piumini d'oca, già allora, noi calzature di cartone pressato fabbricate in Piemonte e cappotti di lana che diventavano fradici e pesanti, a ogni passo di più". Eppure, avanti. La tentazione di lasciarsi cadere nella neve era un canto di sirene. La cosa che più lo aveva colpito erano le espressioni dei volti di quelli che cedevano. Lo facevano di schianto, senza neppure rallentare: all'improvviso, giù. Li vedeva davanti a sé, alberi abbattuti nella foresta umana. Proseguiva, li affiancava e poi superava. All'inizio li guardava, poi più. Smise per via di quel che vide nei loro occhi: qualcosa di troppo vicino alla felicità. Se non ne esiste una più grande della liberazione dal dolore, loro, i morti, l'avevano raggiunta. I corpi senza vita sorridevano. La fine era una beatitudine. Era terribile e rischiava di diventare ineludibile. Allora imparò a guardare soltanto avanti, verso il nulla che nascondeva la vita, facendola pensare come una promessa vana. Eppure continuò. Lui e pochi altri, sempre più distanti e sempre più vicini. Avevano capito, visto, quanto fosse più facile e perfino bello morire, ma soffrirono per vivere. E per raccontare che ne valeva la pena. Ne vale la pena.

Poi c'è questo ricordo, che mi ha trafitto sul treno del ritorno.

È una sera di qualche anno fa, tre o quattro credo, non sono sicuro. Sono andato a Bologna a trovare i miei e, cosa rara, sono rimasto per la notte a casa loro. La sera sono uscito a cena con vecchi amici prendendo l'auto di mio padre. Rincaso poco prima delle undici. Penso stiano già dormendo, ho le chiavi ed entro, cauto ma neppure troppo perché vedo la luce arrivare dal salotto. Mio padre è seduto a un paio di metri dal televisore. Siccome non sente bene, indossa le cuffie per seguire un vecchio film che non riconosco. Mia madre è in poltrona, illuminata da una lampada legge attentamente il giornale. Nessuno dei due si volta o alza la testa al mio ingresso: non mi hanno sentito né visto arrivare. Rimango in piedi, poi mi siedo nella poltrona libera. Sono vicino a entrambi, se mia madre allungasse il braccio potrebbe sfiorarmi, invece continua a leggere assorta un articolo di cronaca nazionale, qualche dolore lontano in cui sicuramente si immedesima. Mio padre ride a una battuta che non posso sentire perché chi non ha le cuffie è escluso dall'audio. Continuo a stare lì, in silenzio, li osservo, vicini e distanti, o viceversa, nella loro bolla di intimità, nei loro diversi interessi, che non sono interscambiabili ma convivono nella stessa stanza. I minuti scorrono, mia madre fa frusciare le pagine del quotidiano su cui scrivevo – un giorno troverò in un raccoglitore tutti i ritagli improvvisamente significanti –, mio padre abbassa lo sguardo durante la pausa pubblicitaria, come se stesse pregando. Un quarto d'ora è trascorso quando mi alzo, schiarisco la voce e annuncio: "Buonanotte!".

Mia madre ha un sussulto, mio padre se ne accorge con la coda dell'occhio e si gira. Entrambi sono stupefatti: "Da quanto tempo sei qui?".

Per non allarmarli rispondo: "Un minuto, o due".

Si interrogano su come possano non avermi sentito o visto entrare in casa. La risposta la troverò anni più tardi, in una galleria vicino a Firenze: i miei genitori non mi hanno mai visto, ma mi hanno pensato quasi per ogni attimo della loro esistenza da che sono nato. Io, al contrario, li ho pensati raramente, ma li ho visti, li ho sempre visti. E adesso, proprio adesso, non smetto di pensarli, e li penso insieme. Senza più, mai più, un minuto di non amore.

Filosofia del disamore

Perché prima o poi arriva, il disamore. Ma non si è preparati ad affrontarlo. È una questione di mancata predisposizione: non si è studiata la materia, né la si vuol studiare. Ci si rifiuta di applicare la logica, o anche l'illogica, e si ricorre al fatale errore di usare due pesi e due misure: una per l'innamoramento e un'altra per il disamore. Nel primo caso tutti sono pronti a concedere all'accaduto il beneficio dell'irrazionalità.

Ti è mai capitato, al cinema o nella vita, di assistere a una scena del genere?

"Ti amo."
"Perché?" "Che cosa ho fatto perché succedesse?" "Ne sei sicuro/a?" "Che cosa ho io che gli altri/le altre non hanno?" "Pensaci bene, stai rinunciando a un miliardo di altre possibilità."

No, mai.
Pensa ora alla scena opposta.

"Per me è finita."

Le domande seguiranno come la pioggia il tuono, con la stessa insistenza. È una resa al principio di irrealtà. A volte, esclusa ogni spiegazione razionale, quella che resta, l'irrazionale, è l'unica accettabile. Ci fidiamo delle scelte compiute in un batter d'occhio – il lampo di una gamba accavallata, un gesto, uno sguardo appena, una parola calata tra le altre con un'intonazione appena differente – ma soltanto se portano qualcosa o qualcuno e non se lo tolgono? Che differenza c'è? Non può l'amore finire com'era cominciato, non per un senso ma per un'intuizione?

Certo che sì, accade di continuo.

È accaduto a me, più volte, ma soprattutto la prima, quella che ti forma. Ero fidanzato dall'età di quindici anni e ne avevo quasi ventidue. Stavo correndo verso un giovanile matrimonio, con casa nella città dov'ero nato, un lavoro sicuro dopo la laurea, figli da portare la domenica mattina al parco prima del pranzo dai nonni, a domeniche alternate. E tutto questo mi piaceva, mi sembrava una prospettiva non soltanto serena, ma anche desiderabile. Stavo correndo, esattamente in quel parco, insieme a un amico, confidente nei momenti chiave di gioventù. È correndo e nuotando che di solito rifletto, immagino scenari, prendo decisioni. All'improvviso mi bloccai sul sentiero. L'amico continuò per qualche metro, poi si fermò e, saltellando sul posto, mi chiese: "Be'... che c'è?".

La risposta di getto fu: "E se poi non vedessi mai l'Australia?".

Una riga conteneva il tutto. Era la sintesi del buio oltre la *sliding door*. Talmente improbabile da risultare chiara al mio amico. Meno, alla mia giovanile fidanzata. Tuttavia era ineludibile. Il destino si era mostrato durante una sessione di jogging, un passo uguale agli altri aveva lasciato indietro sette anni. Il non detto giaceva sotto la superficie da molto tempo, aveva solo bisogno di un'immagine, di una frase, per emergere.

E se poi non vedessi mai l'Australia?

L'ho vista, diciotto anni più tardi. E ho visto oltre ottanta

Paesi, cambiato ventotto case, principalmente perché finiva una relazione e ne cominciava un'altra. Ho messo in conto il disamore, mio e altrui, talora in felice simultaneità. Ne ho fatto una scelta di filosofia, materia che mi appassionava a ventidue anni e a cui vorrei dedicarmi nel finale della vita. Di fatto, si è trattato di un confronto teorico-pratico tra due pensatori: il danese Søren Kierkegaard nell'angolo alla vostra sinistra in calzoncini chiari e il polacco Zygmunt Bauman alla vostra destra in calzoncini scuri.

Do you remember Søren Kierkegaard? Se hai fatto il liceo ti sovverrà di un filosofo malinconico, nemico di Hegel e delle tentazioni, che aveva per amica l'eco e scriveva cose come: "La gioventù è un sogno, l'amore il suo contenuto". Devi averlo rimosso. Salvo sentirlo nominare (e definire "incomprensibile") in qualche film di Woody Allen, o leggere che i Clinton hanno chiamato Søren un cane e Kim Kardashian "Kierkegaardashian" il suo account su twitter. Questo di tanto rimuginare oggi ci resta. Eppure i danesi, nel maggio 2013, decisero di festeggiare alla grande il bicentenario della sua nascita. Così salii su un aereo Norwegian che aveva il suo faccione dipinto sulla coda e andai a Copenaghen per cercare di riconciliarmi con un sacco di cose: la professoressa di filosofia che sembrava Marlene Dietrich in disarmo e amava soltanto Leibniz, l'Europa del Nord che purtroppo non mi ha dato i natali, il dolore di ogni consapevolezza, ma soprattutto la maledizione contenuta in una frase al termine del *Diario di un seduttore*: "Bello è l'amore solo finché durano contrasto e desiderio, dopodiché tutto diventa debolezza e abitudine".

Atterrai nella luce infinita delle estati nordiche, noleggiai una bicicletta e mi aggirai tra conferenze sulla religiosità e mostre di manoscritti originali. Come Woody Allen non ci stavo capendo nulla, quando arrivai al Museo cittadino, dove c'era una mostra dal titolo *Gli oggetti dell'amore*. Salito al secondo piano, mi trovai in una stanza con le tende tirate. La mostra era ordinata in due cerchi, uno interno creato con reliquie di Kierkegaard e uno esterno con aggiunte dei visitatori, selezionate e inventariate. La domanda era: di che cosa parla Søren quando parla d'amore? Ovvero: che ne sa lui?

La storia racconta che nel 1840, a ventisette anni, camminando per strada vide la diciottenne Regine Olsen e se ne innamorò. Così? Al volo? Uno spettatore ha portato come prova a sostegno un paio di shorts blu a pallini bianchi. Dice che suo padre, durante una manifestazione a Copenaghen, scese dal tram, si mise in coda in una panetteria e davanti aveva questa donna con gli shorts, "di seta delicata, accarezzati dal vento, le gambe affusolate, caviglie sottili slanciate da tacchi di vernice bianca". E lì, a qualunque uomo viene qualcosa che assomiglia all'amore. Nella teca di Kierkegaard però c'erano gli anelli dei genitori: il padre a cui dedica riflessioni e tempo, e la madre fantasma. Scrisse, acuto e autolesionista: "Il paganesimo aveva un dio per l'amore e nessuno per il matrimonio, per il cristianesimo oserei dire il contrario".

Si fidanzò con Regine, le donò un anello con diamanti, fu travolto dalla passione, si eccitò anche intellettualmente, scrisse pagine intense su estetica ed etica e gliele spedì. La ragazza gradì, sfogliò, rispose. Le stagioni fecero il loro corso. Il futuro smise gli abiti della festa e indossò la tuta del presente: le nozze incombevano. Che accadde? Basta girare la testa di lato e guardare la teca dedicata alle separazioni: al centro brilla un anello con una croce di diamanti. Nell'ottobre del 1841, dopo quattordici mesi, Kierkegaard ruppe il fidanzamento con Regine. Lei gli restituì l'anello e lui fece rimontare le pietre per formare una croce, restando fedele a tre cose: il suo dio, la sua malinconia e Regine. Non si sposò mai, biasimò lei per averlo fatto. La rivide per strada e non le parlò.

Non la dimenticò. Perché l'aveva lasciata? Un visitatore aveva donato alla mostra una buganvillea che lui e la sua ex acquistarono un lontano Natale in Sicilia. Raccontando: "Sembrava potesse fiorire, ma noi sapevamo che era già tutto appassito". Che cosa avevano visto? Che cosa aveva visto Kierkegaard per fuggire dall'unico amore della sua vita? Lo spegnimento del desiderio, l'affievolirsi del contrasto, il dio dell'amore che fa a pugni con quello del matrimonio e finisce KO al settimo round, senza più rialzarsi. Aveva visto quel che tutti abbiamo incontrato: il tedio, l'abitudine, l'infedeltà. Aveva visto la fine del gioco mentre lo stava giocando. Sapeva già che così vanno le cose. È, come dire, l'essenza dell'esistenza. Tutta la sua filosofia è uno spietato vaticinio che duecento anni ulteriori di vita dell'umanità hanno realizzato. Senza via d'uscita. Eppure, alzo gli occhi e vedo un'insegna luminosa che la indica, l'uscita.

Kierkegaard aveva sei fratelli. Cinque gli premorirono. Nessuno sembrava poter superare i trentadue anni. Lui stesso si predispose a quella fine. Quando superò la data fatidica pensò a uno sbaglio all'anagrafe. Controllò: era tutto giusto. Semplicemente: la vita è noiosa, ma il destino imprevedibile. Una scrive regole, l'altro mette in nota eccezioni. Poche, perché è pigro e perché non le meritiamo. È tutto già scritto e previsto. Salvo che siamo ancora qui e possiamo giocarcela.

Maledetta professoressa Marlene Dietrich, con le tue scarpe verdi tacco dodici, la crocchia bionda e la passione per l'armonia prestabilita, non potevi insegnarci che non è di morire che non dovevamo aver paura, ma di vivere? Verrà il disamore nei miei o nei tuoi occhi? E allora? Non sarà la fine del libro, ma di un capitolo, quello dedicato al malinconico danese. Ha picchiato per tutta la ripresa, ma ora, dopo il gong, tocca al bizzarro polacco, a Zygmunt Bauman.

Lo incrociai una sola volta, poco tempo prima della sua morte, a un festival affollato di convegni e incontri, a Firenze. Lui era la star, ma al suo fianco riluceva una donna, la sua seconda moglie, il suo ultimo amore, la persona intorno alla quale i sentimenti liquidi si erano, infine, solidificati: Aleksandra.

Lui aveva novant'anni, lei ottantatré. Erano sposati da cinque. Si conoscevano, in realtà, da sessanta. Avevano preso strade diverse, dopo la facoltà di Filosofia dell'Università di Varsavia. Matrimoni, carriere accademiche, viaggi. Si erano reincontrati quando tutto sembrava finito. Crollato il Muro, dissolte le ideologie, relegata la filosofia a passatempo per influencer d'antiquariato, celebrati i funerali degli amori e dei compagni di una vita. Che cosa restava? Poco. Tutto. Ho sempre amato quel modo di pensare americano che si concentra nel motto: *It's not over till it's over*, non è finita finché non è finita. Poteva non saperlo, una coppia di filosofi dell'Europa orientale capaci di unire due tra le doti più salvifiche: sensibilità e fantasia?

In un'intervista al quotidiano "la Repubblica" Aleksandra, la sopravvissuta, ha raccontato le tappe di questo terminale rapporto. Ci sono scene da film per girare il quale bisognerebbe convocare Walter Matthau redivivo e Meryl Streep imbarazzata. Lui che scende dal palco dove gli hanno consegnato un mazzo di fiori e lo porge a lei, stupita, seduta in prima fila. Ancora lui che a un Capodanno (il suo ottantaseiesimo!) la prende per mano mentre si trovano a Leeds, in Gran Bretagna, e le dice: "Ti porto in un posto a sorpresa, chiudi gli occhi". Quando lei li riapre si trova a Bellagio, sul Lago di Como, a ballare un valzer reumatico, al dito un anello di fidanzamento, uno smeraldo protetto da due brillanti. Lei che entra da sposa (usare questo termine per una donna della sua età non è buffo, è trionfale) nella casa dove lui ha trascorso decenni con la prima moglie e ne ripone con cura le cose, accarezzando ognuna, non per accomiatarsene ma per poter continuare insieme, a ognuna il proprio spazio.

Ancora lei nell'ultimo Capodanno insieme (c'è sempre un inizio quando sta per finire) che lo aiuta a tirarsi su con delicatezza per ballare un'ultima volta, per alzare anche questo calice, per dirsi che è ricominciata e non importa quanto durerà. Saranno nove giorni, sarà l'eternità.

Che senso ha scommettere ancora sull'amore, addirittura sposarsi, quando si è davanti al tramonto? Dice Aleksandra in quell'intervista: "A ottant'anni è ancora più forte la paura di perdere la persona amata, un timore tipico della giovinezza. Quando si è vecchi il rischio aumenta, dal momento che è poco il tempo che ci resta. Ma, nonostante questo, si vuole vivere l'esperienza fino in fondo".

Rende universale quella che in realtà fu una scelta particolare: sua e di Bauman. Al cinema ci mostrano questo genere di amori nelle forme di un paio di strambi esseri alla deriva in una casa di riposo, uno affetto da Alzheimer, che dimentica e riscopre lo stesso sentimento in circolo, l'altro intento a scherzare con l'esistenza da quando è nato. Altro che rimbambiti, qui siamo davanti a due tra le menti più lucide di quello che è stato il nostro tempo, capaci di tenere in una pubblica conferenza questo dialogo:

LEI L'amore è l'unione tra due anime: il problema consiste nel dare equilibrio all'amalgama che ne scaturisce.

LUI L'amore è più il piacere di dare che di ricevere.

E adesso incartate queste frasi e avvolgeteci pure i cioccolatini, se non siete capaci di viverle.

Perché tutti abbiamo (avuto) paura di perdere. Ma a perdere davvero sono stati quelli che, per questo motivo, hanno rinunciato a giocarsela. Le persone che ami possono andarsene, certo, esistono tanti modi in cui ciò può accadere. O puoi essere tu a farlo, in altrettante maniere. La sofferenza è più che una possibilità, che un filosofo come Kierkegaard non ha voluto, saputo, accettare. Bauman sì, nonostante fosse garantita dalla scarsità di tempo rimasto. Non l'ha sconfitta evitandola, ma mettendola in conto, inserendola nel gioco, barattandola con la gioia di tutti quei momenti fuori contesto, oltre la scadenza, imprevisti. Hanno scelto, lui e Aleksandra, di accogliere nel proprio futuro la perdita dell'uno o dell'altra, togliendole la maschera dell'eventualità che le attribuiamo da giovani e guardando negli occhi la certezza. Accettare la perdita nella forma del disamore o in quella della morte è un passo che evita il male a sé e agli altri. Le notizie di cronaca danno crescente e allarmante spazio a persone (uomini per lo più) incapaci di accettare queste due circostanze. Se ne raccontano le reazioni letali, gli omicidi e spesso i liberatori (anche per la società) suicidi. Come definire questi uomini spaventati che diventano spaventosi? Sceglierò la parola "peccatori". Il primo significato di "peccare" è: fallire il bersaglio del bene. La trasgressione della legge morale è un'elaborazione successiva, dettata da un dio divenuto severo a forza di vedersi inascoltato, povero vecchio che ci chiedeva soltanto di volerci e volere bene. E noi no, timorate bestiole, con le nostre freccette spuntate, sempre lì a scagliarle lontano dal centro della felicità, confondendo egoismo e amor proprio, resa e sacrificio, vita e tempo.

Adesso fatti questa domanda: quanta paura della morte poteva avere Zygmunt Bauman mentre, a nove giorni dall'incontrarla, ballava il suo ultimo valzer, sorretto da Aleksandra, il calice rovesciato nella mano destra, non una goccia a scenderne, consumata ogni bollicina della vita e valsa la pena? La domanda è retorica, conosci la risposta, e non c'è bilancio più esaltante di questo: la pena è valsa. Eccome.

E io ti verrò incontro, quanti saranno gli anni e i giorni, le braccia spalancate come all'uscita dalla sala operatoria o dal gate di un aeroporto, vincente quando non avrò più niente da giocarmi, solo le ferite saranno state medaglie, ogni male superato alla curva successiva, fosse stata la stupidità o un genocidio, voltare pagina come dichiarazione d'intenti, soltanto la vita redime se stessa, non calcoleremo più nulla perché tutto sarà bastato. Avremo imparato, a nostre spese – ma era sacrosanto così, a nostre spese –, ad accarezzare il dolore, a fare a meno della speranza, a credere nella fede. Non avrò le scarpe sfondate, ricevute da un dio ciabattino, sarò scalzo e sveglio. E balleremo, balleremo, balleremo. Fino alla fine. Non è finita finché ricomincia.

Può sempre farlo, se non resti voltato mentre sta succedendo.

Due fedi, un anello

Un giorno di primavera a New York pranzo all'Oyster Bar nella Grand Central Station, uno dei posti che preferisco quando non ho compagnia. Al bancone c'è un solo sgabello libero, all'estremità. Il mio vicino ordina una seconda birra. Poi si gira verso di me e domanda: "Da dove vieni?".

"Italia."

"Dove in Italia?"

"Sono nato a Bologna."

Si accende. Dice che suo padre ha liberato Bologna durante la Seconda guerra mondiale. Comincia a raccontare un favoloso viaggio nei ricordi, compiuto quando era bambino. L'ex soldato lo condusse sull'Appennino, in un paese dove lo accolsero chiamandolo "capitano". È infervorato, rubizzo, possente. Ha bevuto e mangiato troppo nella sua vita, ma da giovane doveva essere una specie di John Kennedy.

Nato dove?

"New Jersey."

Ha viaggiato molto. È repubblicano, ma ha votato per Johnson e per Clinton. Crede nei "ragazzi delle fattorie" più che nelle etichette politiche.

Domanda ancora: "E tu che fai?".

"Giornalista."

"Dall'America?"

"Non più, ma ci sono stato. Prima del Medio Oriente."

"Medio Oriente? Allora conoscerai la mia ex fidanzata."

"E chi è?"

"Marie Colvin."

So chi è, Marie Colvin. È morta, Marie Colvin. In Siria, il 22 febbraio 2012, durante l'assedio di Homs. Aveva cinquantasei anni, scriveva per il "Sunday Times". Era entrata in una zona proibita e da lì raccontava il massacro operato dal regime di Assad, insieme con il fotografo francese Rémi Ochlik. Li hanno uccisi mentre fuggivano dal palazzo in cui lavoravano, identificato e bombardato. Aveva una benda sull'occhio sinistro, Marie Colvin: ricordo di una granata in Sri Lanka. Per anni aveva portato due fedi, come memento per non risposarsi mai più. Aveva sposato due volte lo stesso giornalista e due volte aveva da lui divorziato. Il secondo (o terzo?) marito, giornalista pure lui, si era suicidato. Su "Vanity Fair America" era stato pubblicato un bellissimo pezzo su di lei.

"Non parlava di me," dice l'uomo che, scoprirò, si chiama John Schley. "Perché non piacevo alla giornalista. Dopo che è uscito ho ricevuto una chiamata da Londra. Era il tizio che nell'articolo veniva definito 'l'ultimo amore di Marie'. Mi ha detto: volevo sapessi che lei ti ha amato fino all'ultimo. Ho pensato: vaffanculo. Poi mi è venuto a galla un ricordo. Ho chiesto: hai una Harley? Ha detto: sì. Ho urlato: sei lo stronzo che si è mangiato il mio pollo!"

John, per favore, potresti cominciare dall'inizio?

"Okay. Ho conosciuto Marie... vediamo... più di trent'anni fa. Si era appena laureata, aveva cominciato a fare la giornalista, abitava in un monolocale minuscolo a Londra. Io avevo vent'anni più di lei ed ero un fallito. Le chiesi di sposarmi. Mi guardò e disse: dove vivremmo? Dissi: io tornerei dal New Jersey e staremmo qui, nel tuo monolocale. Mi rimandò indietro. Ha avuto altri mariti, ha girato il mondo, si è fissata col Medio Oriente. Non l'ho mai persa di vista. Quando si separò nuovamente io ero diventato ricco. Andai a cercarla, la portai alle corse. Ci amammo, infine. La accompagnai all'aeroporto, scese dalla macchina e andò verso l'ingresso. Senza voltarsi disse: *I love you*. Non è mai stata capace di dirmelo in faccia. Cinque anni fa le telefonai. Lei era a Londra, malata, io nel New Jersey. Dissi: compro un anello e vengo a chiederti in moglie, davvero. Rispose: va bene. Non sapevo neppure se ci fosse una gioielleria, dove vivo adesso. Mi dissero che era accanto al negozio di liquori e quello sì, lo conoscevo. Il commerciante era libanese, aveva letto tutti gli articoli di Marie su internet, mi fece lo sconto. Volai da lei. Atterrai e la chiamai. Disse: non fermarti a mangiare, vieni subito da me, ti metto da parte del pollo. Presi un taxi. Davanti a casa sua c'era una Harley. Mi aprì la porta uno sconosciuto. Poi si buttò sul divano. Davanti a lui, sul tavolino, un piatto con ossi di pollo. Marie era sul letto, aveva la schiena rotta. Il tizio se ne andò dopo poco. Che cosa rappresentava? Il suo attestato di libertà, immagino. Tirai fuori l'anello, ma mi impedì di darglielo: stava troppo male. Chiamammo un medico. La fece ricoverare. Decisero di operarla. Dissero che era grave: poteva morire sotto i ferri. Allora disse: è il momento, dammi l'anello. Glielo misi al dito. Lei guardò le due fedi. Disse: dovrei toglierle. Dissi: è una tua scelta. Andò in sala operatoria. Quando ne uscì era viva, e senza fedi. Restai con lei per giorni. Non ci sposammo mai. Metteva troppe condizioni, tutte a suo favore. Libertà, libertà, libertà. Tornai in America. Mentre uscivo dalla sua stanza, dandole le spalle, dissi: *I love you*. Non l'ho più vista. Non l'ho mai dimenticata."

Fa una pausa. Finisce la birra. Guarda il vuoto.

Dice: "*I love her*".

Credo di aver capito "*I loved her*", al passato. Ma lo ripete, chiaramente: "*I love her*", l'amo.

Ordiniamo ancora da bere.

Dice: "Sei uno che sa ascoltare. Mi piacerebbe se ci rivedessimo. Ti do il mio biglietto da visita, lasciami il tuo".

Glielo passo, lo guarda, mormora il mio nome. Dice: "Mi sta venendo l'Alzheimer. Quando mi chiamerai – perché lo farai, vero? –, probabilmente non mi ricorderò chi sei. Dovremmo stabilire una specie di parola d'ordine. Chessò: Oyster Bar. No. Beirut. No...".

Lo interrompo, bevo dal suo bicchiere: "Ecco, dirò: sono lo stronzo che si è bevuto la tua birra".

Ride. Scende dallo sgabello e mi abbraccia. Un grosso pezzo d'America con la felpa, lo zainetto, settantacinque anni, ingrassato, alcolizzato, John Kennedy se solo fosse invecchiato, ma non è morendo che si finisce.

Ho ripensato spesso a quell'incontro. Credo di capire le ragioni di Marie, ma di non poterle più condividere. La vita è, inevitabilmente, evoluzione. Anche il nostro modo di amare deve, inevitabilmente, evolversi. Non possiamo essere a quarant'anni gli stessi che a venti. Sono cambiati i capelli, i denti, le unghie. Non può essere immutato il cuore. Possiamo ripetere lo stesso errore, ma quante volte? Risposare la stessa persona e poi riseparasene è concesso a Liz Taylor, che la vita l'ha recitata, non a chi semplicemente la vive. Il tempo dovrebbe servire almeno, se non a conoscere, a conoscersi.

Anni fa un amico mi confidò le sue pene sull'orlo di una separazione. Era un giornalista come me, più adrenalinico di me: aveva sempre bisogno di una missione lontana per sentirsi vivo. Più lontana la missione, più vivo si sentiva. Stava con una donna che trovava intollerabili le sue continue partenze e gli imprecisati ritorni. Lei era un'insegnante: orari fissi, ferie bloccate (e per lui, già la parola "ferie"...). In più, aveva da una precedente relazione una figlia adolescente, che a lui risultava ostile e, quindi, insopportabile. Sembrava disperato. Una cosa mi sfuggiva e gliela chiesi: ma quando vi siete incontrati tu ti sei presentato come un impiegato di banca desideroso di una famiglia o lei come una svagata pittrice che di famiglia non ne aveva affatto? Perché provarci o, peggio, insistere?

Nella storia raccontata all'Oyster Bar ci sono un essere evolutivo, John, e uno statico, Marie. Al primo incontro lei fa bene a rispedirlo là da dove è venuto. John è un invadente ragazzo della campagna americana. Una specie di stalker più folle che ingenuo.

Dopodiché Marie procede, come molti, per tentativi. Sposa un giornalista pensando possa capire il suo bisogno di missioni lontane e di storie da raccontare per sovrapporle alla propria. Non funziona. Negli arcipelaghi quei pezzi di terra che chiamiamo isole stanno vicini, non uniti. Si somigliano, ma proprio per questo hanno bisogno di acqua intorno. La definiscono "aria" o "spazio", o ancora "libertà", ma è acqua: una distanza trasparente rispetto agli altri. La somiglianza è superficie. L'affinità, qualcosa che sta sotto. E che non è mai acqua, ma legno, pietra, esperienza, evoluzione. Marie torna due volte sulla stessa isola. Poi va per altri mari.

Quando incontra nuovamente John, è come se incontrasse un altro uomo. Lui è cresciuto, cambiato, si è affermato. Non conta che sia ricco, conta che abbia rivelato carattere: nel suo mondo, ce l'ha fatta a modo suo. John non è un'altra isola ma un pezzo di terraferma, piantato lì, uno scoglio. Prende acqua e vento, sente il tempo. È repubblicano, eppure non esita a votare per un candidato democratico. Anche se è americano, è pronto a trasferirsi in Europa. È innamorato veramente di Marie. Nonostante lei abbia riconosciuto l'ultimo amore, lo rifiuta. Lo fa quando dice *"I love you"* girata di spalle e lo fa nuovamente quando affolla di condizioni la possibilità di vivere, infine, con John. Non le servono neppure più quelle condizioni, quell'acqua, quella libertà. È malata, ha una benda sull'occhio e il Medio Oriente è una causa disperata, come lei senza futuro. La città di Homs viene nuovamente rasa al suolo, i suoi abitanti – ribelli ad Assad figlio come lo erano stati ad Assad padre – massacrati come i loro genitori. Al Cairo un generale succede a un altro, le notti del Ramadan sono le stesse: illuminate, estenuanti e rassegnate. Non ci sono stagioni, di che primavera avete cianciato? I confini sono ovunque mobili e perforabili. Li passi cento volte e alla centunesima ci resti. Viviamo tendendo verso due cose soltanto: l'amore e la morte. Il martirio è un'elaborata forma di tradimento. La nobiltà dei fini è la maschera della miseria che lo innesca. Preservare la vita non è da deboli, al contrario. Donarla è grandioso. Modellarla col tempo e le situazioni è prova di intelligenza. L'evoluzione è intelligenza. Ogni volta che Marie e John si incontrano lui è diverso, lei la stessa. Da anziano e alcolizzato lui ha ancora un sogno, che ha cambiato forma ma non volto. Marie non riconosce l'ultima occasione perché continua a guardare dentro di sé e non davanti a sé. Non ascolta la voce che le urla di cambiare, di gettare le armi. Di voltarsi. Che se ne fa di un'altra guerra quando può avere l'ultimo amore? Splenderanno le moschee omayyadi nei pomeriggi pigri, stelle fredde si specchieranno in deserti di gesso, uomini si uccideranno tra loro per rabbia, sopraffazione, ma più che altro per consuetudine.

Mi spiace criticare Marie, mi permetto di farlo perché la conosco, l'ho avuta dentro di me, sono stato un'isola con l'acqua intorno. Poi mi sono voltato.

La storia troverà sempre un testimone pronto a partire per raccontarla, falso o genuino che sia. Chi racconterà di noi? Chi ci riporterà indietro? Quando troveremo pace nei sogni? Quando qualcuno aspetterà il nostro risveglio come una liberazione.

La mattina in cui accadrà, non facciamo l'errore di pensare che stiamo ancora sognando. Sognando James Dean.

56

La sindrome di James Dean

Sono stato in analisi per un anno, benché poco convinto. L'ho fatto accogliendo le insistenze di una persona a cui volevo bene. Riteneva avessi bisogno di aiuto per il controllo della rabbia. Dopo aver tentato di aggredire quattro hezbollah che mi avevano tagliato la strada in auto a Baalbek, nel Nordest del Libano, per la mia incolumità mi arresi. Lo feci anche perché vivevo a Beirut e potevo cercare uno psicoterapeuta all'università americana e parlargli in inglese. Usare un'altra lingua allontanava ogni storia da me. Non era più mia, diventava un racconto il cui protagonista era un'altra persona, qualcuno che avevo conosciuto in un altro luogo, parlando un'altra lingua. La giusta, benché immaginaria, distanza. Vedevo l'analista, un quieto professore cinquantenne, molto interessato a quel che gli narravo. Prendeva appunti su appunti e questo mi fece fantasticare di poter finire in uno di quei libri che i terapisti fortunati danno alle stampe. Il capitolo: *Lo strano caso di GR, l'italiano con la sindrome di James Dean*.

È un'espressione che avevo inventato io, "la sindrome di James Dean", e che lo aveva colpito. Stavolta però davvero non riguardava me, ma un amico. Anche se in questi casi è inutile insistere e prendere ulteriori distanze: nessuno ti crede. Eppure.

Questo caro amico era sposato da cinque anni. In apparenza felicemente, di sicuro tenacemente. Condivideva con la moglie un passato inquieto e la promessa di non riprodurlo in futuro. Alla cerimonia, officiata tra montagne innevate da un celebrante inesperto quanto entusiasta, dopo aver pronunciato il sì lui era scoppiato in un pianto incontrollato, che lo aveva indotto a riparare dietro una colonna mentre lei lo guardava impassibile. "Devo andare a riprenderlo?" aveva sussurrato al celebrante. "Meglio se aspettiamo," aveva risposto quello, improvvisamente saggio. Dopo un po' lo sposo era tornato. Più che un adulto, sembrava un bambino deciso a farcela. I bambini, si sa, sono volubili. Incontrò un'altra donna, che gli riaccese la fantasia. Puoi aver deciso di fare la cosa giusta, ma è difficile scansare la cosa bella. Si videro una, due, tre volte, sempre in città diverse. Come accade in questi casi, la precarietà del momento e l'improbabilità dello scenario resero tutto favoloso. Ogni cosa accadeva fuori contesto, era una fuga delle più inebrianti perché in apparenza destinate a finire contro un muro chiamato realtà. L'amico mi venne a trovare con una valigia piena di dubbi. Provai a farglieli sparire con uno choc. Alle quattro del mattino mi avvicinai al letto in cui dormiva, gli rovesciai in testa un secchio d'acqua gelida, lo afferrai per i capelli e chiesi: "Quale delle due?". Mi guardò spaventato e disse con un filo di voce: "Aiuto!". Lo lasciai andare, gli gettai un asciugamano e provai con le buone. Presi una sedia e gli spiegai: "Hai la sindrome di James Dean".

Adesso era completamente sveglio. Continuava a guardare la porta alle mie spalle, ma mi ascoltò.

James Dean, tutti lo conoscono, era un attore americano. Di lui, quel che ognuno sa è che è morto giovane. Dopo aver recitato in tre film. Uno si intitolava profeticamente *Gioventù bruciata*. Gli altri due, *Il gigante* e *La valle dell'Eden*. A mio avviso soltanto il primo di buon livello. L'ultimo naufragava nel tentativo di ridurre la complessità del capolavoro di John Steinbeck. Tre film, e addio. La fiammata che lo portò via fece di James Dean un mito. Era il falò delle promesse, l'eternità in cambio dell'effimero: un baratto conveniente se hai un disprezzo per la vita pari a quello di un fondamentalista islamico.

E se James Dean non fosse morto giovane? A quel punto ci sarebbero state due possibilità. O la sua stella sarebbe implosa film dopo film e lui diventato qualcosa di simile a Matt Damon, un genio ribelle che finisce su Marte facendo perdere le sue tracce, oppure avrebbe brillato di folle luce sino a fare di lui un Marlon Brando di fine millennio. Non lo sapremo mai, resterà James Dean, l'incompiuta, lo scrigno chiuso. In definitiva: il rimpianto senza verifica. La stessa cosa sarebbe potuta diventare l'altra donna se il mio amico, per amore più che della moglie della propria stabilità, avesse interrotto la relazione sul nascere. Se avesse bruciato le cartoline di stanze impolverate a Venezia, pulviscoli di luce da una pesante tenda di velluto verde; terrazze al tramonto a Tangeri, l'Europa un disponibile miraggio; una sala d'attesa dell'aeroporto di Orly, dove uno dei due non aveva aerei da prendere o perdere, niente. Niente oltre questo, fine. Tornare alla vita di prima, ai film dalla prevedibile trama. Soffrire per non far soffrire. O soffrire per non scoprire di essersi sbagliati e poi soffrire ancora di più. Fuggire dalla rivelazione che indossa l'abito scuro della verità. Avere un tris e non andare a vedere la carta coperta. Poi fare della partita non finita la grande occasione perduta, la svolta mancata, le tre notti che rappresentano il vero matrimonio di una vita: James Dean.

È così che ci si arrende al penultimo amore, rendendolo mestamente definitivo. Lo si fa per mancanza di fiducia nel futuro o in se stessi. Perché si è capito tutto ma si fa finta di no, come chi è entrato in una setta, ha visto il guru preparare i suoi trucchi, ma ormai è troppo lontano da casa per tornare indietro. Perché si vuole dimostrare agli altri di non aver sbagliato. O a se stessi. L'Everyman di Philip Roth sposa la giovanissima amante per dare un senso al fatto che a causa sua ha mandato "ogni cosa in frantumi" e gli sembra "logico" cercare di rimettere insieme i pezzi in una diversa apparenza, e a questa aggrapparsi. Invano. È la terza moglie, ma non può essere definitiva, solo penultima. La seconda moglie poteva essere l'ultima, ma non ha resistito alla spallata del desiderio. Inutile lottare, considerare la lussuria un'esca, è soltanto un segnale, indica un ponte verso la prossima relazione. Lì la strada può finire o ricominciare. Ai Ponti di Madison County la donna che ci vive si consegna alla sindrome di James Dean (anche se lui è Clint Eastwood). I quattro giorni vissuti con il fotografo di passaggio e da lui immortalati nell'album ("Quattro giorni da ricordare") che sfoglierà postumo sono stati la più intensa esperienza amorosa della sua vita, ma ha scelto di non disgregare per questo la famiglia, di non lasciare il marito che l'ama senza saperla rendere felice e i figli a cui consegna la più preziosa delle eredità: la propria confessione. È così facendo che li salva dalla trappola del penultimo amore.

E adesso tu sei lì, in una camera d'albergo anonima, che ti sembra il posto più speciale al mondo. Fuori potrebbe esserci Parigi o Pescasseroli, non farebbe differenza. Però c'è Parigi e questo rende la trama ineludibile. Le lampade mandano una luce dorata, le lenzuola sono morbide, lo specchio ti riflette radiosa. Niente di tutto questo è come ti appare, ma non fa differenza, la realtà non entra in questa bolla che vi siete costruiti con la scusa di un viaggio di lavoro. Lui è di là, sotto la doccia che scroscia. Lo immagini sovrapponendo alla fantasia il fresco ricordo. Accarezzi lo spazio accanto a te cercando l'impronta della sua testa. Guardi con tenerezza perfino il vassoio del room service dove giacciono i resti di un pasto consumato nell'intervallo. I calici sono orizzontali, soldati abbattuti. Non era una guerra, non sai se sia amore. È un paradosso soltanto apparente: a spaventarti davvero è l'ipotesi che lo sia. Questo è il vostro terzo incontro e vorresti fosse facile rinunciare al quarto, al quinto. Finirà al decimo, ti dici. Non oltre. Vorresti aver soddisfatto la smania con uno sconosciuto, un incrocio in ascensore la notte e un'ombra che fruscia via all'alba. Basterebbe un bagno caldo e torneresti a casa dopodomani, dal tuo distratto marito, dalle tue bambine innocenti, la più piccola un po' spaventata, sul terrazzo che guarda le colline, un sorriso fuggevole sul bordo di un aperitivo non basterebbe a tradirti. Qui il rischio è che tradirsi diventi un desiderio inconsapevole. Per obbligarsi a scegliere. Oppure troncare adesso, appena tornerà nella stanza. Guardi la foto di famiglia sul display del cellulare, mandi un messaggio pieno di cuori e altri simboli sulla vostra chat, spegni. Perché sai che quando tornerà lo farete ancora una volta: "Era tardi, dopo la cena e tutte quelle chiacchiere sono crollata". Deciderai domani, vorresti fosse lui a farlo, ma poi ti dispiacerebbe, vorresti sentirti appagata, capace di riprendere la tua strada.

E ora ascolta: "Quand'era giovanissimo, pensava che l'amore fosse uno stato assoluto dell'essere a cui un uomo, se fortunato, poteva avere il privilegio di accedere. Durante la maturità, l'aveva invece liquidato come il paradiso di una falsa religione, da contemplare con scettica ironia, soave e navigato disprezzo, e vergognosa nostalgia. Arrivato alla mezza età, cominciava a capire che non era né un'illusione né uno stato di grazia: lo vedeva come una parte del divenire umano, una condizione inventata e modificata momento per momento, e giorno dopo giorno, dalla volontà, dall'intelligenza e dal cuore".

A parlare così è William Stoner, protagonista del romanzo di John Williams che porta il suo nome. Professore universitario, sposato, ha da poco incontrato la giovane Katherine, sua ex studentessa, che ha illuminato la sua esistenza sottraendolo a un matrimonio e a una carriera ugualmente opachi: "non aveva mai conosciuto nessuno con tanta intimità e fiducia, con il calore umano di chi si dona completamente a un altro [...]. Passavano dalla passione alla lussuria, fino a una profonda sensualità".

Lei è il suo James Dean. Arrivano a trascorrere insieme una meravigliosa vacanza sulla neve al cui termine lei dice: "Se non avremo nient'altro, avremo avuto questa settimana". E abbandona una fede in una fessura tra il muro e il camino "per lasciare una traccia della nostra presenza, qualcosa che resti qui finché esisterà questo posto". Al ritorno sono travolti dallo scandalo: la relazione diventa di dominio pubblico, le conseguenze si annunciano devastanti. Che fare? Fuggire insieme o separarsi? Accettare le conseguenze dell'amore o rinnegarle? È lui a decidere (o a credere di farlo). Non per la moglie, non per la figlia, non per la paura dello scandalo, ma per quella di "distruggere noi stessi". Dopodiché: "Si abbracciarono per non doversi guardare in viso e fecero l'amore per non parlare. Si accoppiarono con la tenerezza e la sensualità di sempre, e con una nuova, intensa passione, legata alla consapevolezza della perdita". Poi, lei si addormenta e lui esce dalla stanza senza svegliarla. Non si rivedranno mai più.

Eccolo che torna, un asciugamano di foggia orientale legato intorno alla vita. Sorride come un attore di successo, ma tu non sai dire se sia Matt Damon o Marlon Brando: è soltanto James Dean, sospeso tra due precipizi. Così entriamo nel futuro: precipitando, a occhi chiusi e denti stretti, come prigionieri di un'accelerazione che non sappiamo controllare. Possiamo solo sperare di arrivare sull'altra sponda, che chiamiamo domani, per raccontarlo. Lo abbracci per non doverlo guardare, fai l'amore per non parlare. Poi deciderai, adesso ti aggrappi al momento, non c'è altro che ora e qui: la tua scarpa di vernice rovesciata che riflette un raggio di luce, il lenzuolo che si fa onda, i suoi capelli bagnati. È tutto facile e, più ancor che necessario, dovuto. Scegliere, scegliere, scegliere, il coraggio che serve per sbagliare, in qualunque modo.

Ascoltami: dovunque precipiterai domani, la salvezza dipenderà in gran parte da te. Il distratto marito, le figlie innocenti, l'aperitivo in terrazza o l'ignoto dietro questa terza notte, a renderti felice sarà quello dei due a cui saprai dedicare momento per momento, e giorno dopo giorno, la tua volontà, la tua intelligenza e il tuo cuore. Gli indizi per la scelta migliore li saprai riconoscere soltanto più avanti, quando ti volterai indietro. Puoi sbagliare comunque, che ti butti di testa o di pancia. Ma puoi comunque azzeccarla. Avrai avuto queste tre notti, quattro giorni a Madison County, tutta la vita con il rimpianto o con l'ultimo amore.

"La principale ragione di vita è la scoperta."

Chi l'ha detto? James Dean.

Mica Barigazzi.

La sindrome di Barigazzi

Si chiamava Barigazzi e questo impediva non solo di pronunciarne il nome di battesimo, ma finanche di ricordarlo. Per tutti era Barigazzi e basta. Non era un amico, piuttosto un conoscente intenso, uno che appariva alle cene in casa di persone diverse, perfino in diverse città, e con costanza nel tempo, così da poterne seguire i mutamenti.

Con il passare degli anni Barigazzi tendeva a presentarsi con mezzi di trasporto e compagnie femminili sempre differenti e sempre più improbabili. O meglio, l'inizio fu considerabile standard, il resto deviazione. Debuttò infatti con una moglie sua coetanea, scendendo da una station wagon di marca svedese e colore azzurrino che aveva acquistato in previsione dell'adozione di un cane e del concepimento di uno o più bambini. Non arrivando né l'uno né gli altri, Barigazzi vendette la station wagon e, come fosse una diretta conseguenza, divorziò. A distanza di pochi mesi si ripresentò con una cabriolet, benché di piccola taglia, e un'altrettanto opportunamente *petite* signorina, che dimostrava parecchi anni in meno ma lasciò il dubbio dell'inganno che molte donne minute sanno perpetrare con infida grazia. Non parlarono né di animali né di prole, soltanto di viaggi e di lavoro, anche se che cosa facesse esattamente Barigazzi nessuno lo capì mai; quanto a lei, si qualificò come sua "assistente".

Lo persi di vista per qualche anno e lo ritrovai, molto più

a nord, con una compagna inconfondibilmente più giovane stavolta, di origini baltiche, ma lei stessa confusa sulle repubbliche ex sovietiche: in quale fosse nata, dove cresciuta e come partita. Il mezzo di trasporto era americano, in compenso, e vintage. Non so dove l'avesse trovata, una Cadillac grigio perla. Avrebbe potuto guidarla Perry Como, o Joe Gambino. Invece: Barigazzi. Che annunciò di aver cambiato lavoro, senza aggiungere altro, prospettandoci una transizione più che geometrica, aritmetica: il passaggio da un'incognita all'altra. $x=y$. La diffusa sensazione era che la giostra sarebbe continuata e il passaggio successivo fu perfino prevedibile: una romantica moto inglese e una sinuosa ragazza eritrea (o etiope?) dell'età che avrebbe avuto sua figlia se mai l'avesse concepita ai tempi della station wagon azzurrina. Non prese mai neppure un gatto. Un canarino. Un criceto. Un Tamagotchi. L'ultima apparizione fu straordinaria: Barigazzi giunse a destinazione su una bicicletta elettrica, ecosostenibile e ricaricabile, uguale a quella della sua accompagnatrice, che non poteva di certo ancora prendere la patente per un mezzo diverso. Non l'ho mai più visto, ma me ne sono sempre ricordato, come un monito. Una voce nella testa di quando in quando mi ha intimato: "Non fare la fine di Barigazzi". Cambia pure, se puoi, se devi, se cerchi qualcosa che può soltanto trovare te, ma *non fare la fine di Barigazzi.*

La sua ostinazione provocava quasi tenerezza, finiva per apparire, più che perversa, dolente e infine patetica. L'idea di mantenere immutata la somma degli anni in una coppia può funzionare in una simulazione scientifica, non nella realtà. A forza di inseguire il futuro si finisce per scontrarsi col presente.

"Non puoi far rivivere il passato," ammoniva l'amico saggio.

Ma il grande Gatsby rispondeva: "Certo che posso".
Poi fallì.

Carlo c'è riuscito, nel secondo capitolo di questo libro, ma si è ripresentato all'appuntamento completamente diverso. Diverso dentro, non d'aspetto. Non ha cambiato modello di auto e non ha rincorso, guidandola, un'idea di giovinezza.

La sindrome di Barigazzi è diffusa. Dopo il primo strappo è più facile farne altri. È il primo trasloco a essere traumatico. Dopo, sono soltanto scatole da riempire e svuotare con movimenti sempre più automatici. Sono quadri da riappendere, armadi da risistemare, paesaggi alle finestre a cui abituarsi. Fatto il primo, se ne possono fare ventotto. Per alcuni lo scopo del gioco non è trovare casa, ma tornare a casa. Barigazzi cercava in realtà sempre la stessa tessera mancante: l'ultima donna aveva l'età della prima al tempo in cui l'aveva conosciuta e le somigliava pure nel fisico. Nel trascurabile film *Autunno a New York*, un maturo Richard Gere si innamora della giovane Winona Ryder, che ha la metà dei suoi anni. All'inizio della sua lunga catena di relazioni, si scoprirà, c'era stata proprio la madre della ragazza. È tornato alla prima casa perché nel frattempo, pur mantenendo le fondamenta, è stata ricostruita. Funzionerà? No, perché il destino ha una morale e la ragazza una malattia che la spegne anzitempo.

"Non puoi far rivivere il passato."

"Certo che *non* posso."

Non puoi se tu sei rimasto lo stesso di quel passato. Hai cambiato residenza e veicolo, ma custodisci e trasporti lo stesso vuoto, quello in cui non entra neppure un criceto. O un Tamagotchi.

Poi ci sono quelli che vanno semplicemente alla casella successiva, per vedere che cosa trovano. Negli anni ho collezionato ritagli prima e file elettronici poi su questo genere di personaggi. La loro serialità appare straordinaria, ma si rivela riproducibile. Il numero di relazioni, con o senza matrimonio, ha un valore decrescente dopo la mezza dozzina, l'equivalenza dei passaggi successivi è testimoniata dall'immancabile ripresentarsi a più riprese di un partner già sperimentato e scartato. Il fenomeno attraversa le classi sociali e colpisce soprattutto attrici e bariste. Accade ovunque, dal cuore dell'America contadina ai villaggi russi. Una donna dell'Indiana, di nome Linda, a sessantotto anni ha collezionato ventitré matrimoni, con venti mariti diversi (uno lo ha sposato tre volte). Il più lungo, non a sorpresa, è stato il primo, durato sette anni (da quando ne aveva sedici a ventitré). Il più breve: trentasei ore. Due mariti si rivelarono omosessuali (non ci aveva mai fatto l'amore?), due senza tetto (non si era mai fatta invitare a casa loro?). L'ultimo, al momento in cui scrivo, era lui pure un seriale con ventisette nozze precedenti e l'ha lasciata vedova. Una contadina cosacca di nome Ekaterina detiene il record russo di ventotto mariti. Ne ricorda solo cinque, tutti morti. Degli altri ventitré ha detto al giornale locale: "Sono stati una perdita di tempo: appena mi accorgevo che non valevano niente li buttavo fuori di casa e poi chiamavo il pope a benedire, perché non ne restasse traccia". Un solo figlio, da uno dei cinque defunti. E l'intenzione di avere ancora non uno, ma altri mariti.

Esiste un abisso tra la ricerca dell'ultimo amore inteso come quello definitivo e quella, più banale, del prossimo. A motivare la prima è una sorta di fede nell'assoluto, la seconda un bisogno relativo: provare qualcosa di inedito. Conosco quella sensazione.

L'ultima volta mi ha trafitto un paio d'anni fa, quando di anni ne avevo già oltre cinquanta, con una vita sufficientemente avventurosa alle spalle e una dose limitata di rimpianti a cui non concedevo di affiorare. Stavo camminando per una strada acciottolata di Brooklyn chiamata Water Street, guardai la vetrina di un negozio che esponeva tavole da surf e mi sovvenne un pensiero: ecco una cosa che non potrò più fare. Meglio: che non potrò più cominciare a fare. Non ho più la possibilità di imparare a cavalcare l'onda, di andare in giro per il mondo con tribù bionde e muscolose su pulmini colorati, scendere all'alba su una spiaggia dal nome esotico aspettando il vento giusto.

L'avevo mai desiderato?

No, perché se così fosse stato l'avrei fatto, molto tempo prima.

Mi mancava adesso?

Sì. Perché? Semplicemente, perché era diventato troppo tardi.

È una terribile espressione, troppo tardi. È la sorella maggiore di quell'altra (a cui chiude la porta), una semplice parola, in verità: ormai. Or-mai: ora mai. Troppo tardi, ormai. Per il surf. Mentre guardavo le tavole ero consapevole che non mi importava niente di quella possibilità in sé: non avevo un garage dove conservare un oggetto di quell'ingombro, trasportarlo doveva essere una fatica, la manutenzione una noia. Probabilmente sarei stato una schiappa, anche trent'anni prima. La tribù bionda e muscolosa avrebbe fatto di me il suo zimbello. E chi ha davvero voglia di svegliarsi al mattino su una spiaggia chiamata Kai Pai o Chumachima, dopo aver passato la notte a cantare bevendo birra intorno a un falò?

No, non era *quella possibilità* in sé, ma *la possibilità* in sé. A bloccarmi su quel marciapiede di Brooklyn era l'idea che qualcosa fosse definitivamente uscito dal quadro, che la vita procedesse come un imbuto e che, oltre al surf, molte altre cose non potessero più passare attraverso la strettoia del futuro. Troppo tardi. Per il surf, ma non per qualcos'altro. Qualcosa che desiderassi davvero, non per non averlo mai avuto, ma perché era esattamente quel che mi era mancato, qualcosa che mi permettesse di camminare per le strade acciottolate di Brooklyn con la semplice gioia di essere lì, di essere nella mia vita, di aver centrato il bersaglio della mia felicità.

Musubi

Non so voi, ma io, anche mi trovassi in una città sperduta, con una zazzera indomabile, se passassi davanti a un barbiere pettinato col riporto eviterei di entrare nella sua bottega. Per analogia, credo che chiunque tenga una rubrica di posta del cuore dovrebbe allegare, sotto la foto, un curriculum sentimentale che possa essere giudicato, quanto meno, non disastroso. Se ti trovi di passaggio a Londra, chiederesti indicazioni a un turista argentino che si è perso? E così per teorizzare sull'ultimo amore sarebbe corretto informarti sul mio percorso. Non fosse che al riguardo sono reticente, molto reticente, per rispetto di altri e anche di me stesso.

Dunque dirò solo che, dopo la volta in cui mi fermai in corsa perché volevo ancora vedere l'Australia, ho visitato Sydney e, come Norman Mailer, altre città. Tutti sono pratici di inizi, io di ogni possibile fine. Andare via non è mai stato veramente complicato. Ho riconosciuto in me la caratteristica principale della protagonista del romanzo di Josephine Hart, *Il danno*: "Le persone danneggiate sono pericolose. Sanno di poter sopravvivere".

L'ho incontrata, Josephine Hart, quattro anni prima della sua morte, avvenuta nel 2011. Abbiamo parlato a lungo di quel suo romanzo, di quella frase, di quel che spinge le persone all'inquietudine sentimentale. Mi disse: "Quel che tutti cerchiamo è un'esperienza estrema, senza ritorno".

Tutti?

Chi di noi l'ha già conosciuta, cerca piuttosto un'esperienza salvifica.

Soppesò il concetto e ammise che forse sì, forse era così. Disse ancora: "Vede, la vita è un'arena morale. Un'esperienza selvaggia e, comunque vada, terminale. E la sopravvivenza un dovere morale. Essere vivi è un privilegio a cui non si può abdicare. Tutti diventiamo, prima o poi, sopravvissuti. Quel che possiamo fare è portare la croce con grazia, essere la cosa migliore possibile: un esempio".

Era sposata con uno degli uomini più ricchi di Gran Bretagna, Maurice Saatchi, che per lei aveva divorziato dalla prima moglie. Lui prese l'abitudine di andare a fare colazione sulla sua tomba, parlandole di quel che continuava, vanamente, ad accadere nel mondo. A chi gli chiedeva spiegazioni, con il riguardo riservato a uno della sua casta, rispondeva: "Lei è me. Io sono lei. Siamo una cosa sola". Sembrerebbe impossibile essere una cosa sola, nel tempo, giacché il suo scorrere rende necessariamente, l'uno o l'altro, sopravvissuti. Esiste una parola, in giapponese, per definire il labirinto dei legami: *musubi*. *Musubi* è la connessione tra le persone rappresentata da un intreccio di fili. Legare quei fili è *musubi*, il fluire del tempo è *musubi*. Nel tempo i fili convergono e prendono forma, si torcono e si aggrovigliano. Talvolta si sbrogliano, oppure si spezzano e capita anche che si ricongiungano. Questo è il percorso delle nostre storie nel tempo: fili che si annodano, si perdono, si riallacciano, si spezzano, restano legati per sempre. Ora, cosa fa sì che due fili stiano stretti l'uno all'altro, quale principio, più ancora che forza, li unisce?

Per rispondere, anche stavolta racconto, anzi prendo a prestito, una storia che comincia come una favola: "Nella Valle della Luna, a nord di San Francisco, c'è una bella città, Sonoma, e in questa bella città viveva una bella donna di nome Joan Simpson. Aveva i capelli neri, un corpo flessuoso, irrobustito dalla pratica delle arti marziali, e una maniera disinvolta di sedersi nella posizione del mezzo loto, con il piede abbronzato poggiato sulla coscia, che rivelava una sensibilità radiosa e una serenità sconosciuta alla maggior parte delle persone". Così Emmanuel Carrère descrive l'ultimo amore di Philip K. Dick, scrittore di fantascienza che tutti conoscono almeno per *Blade Runner*, film tratto da un suo romanzo. Lo fa all'inizio di uno dei capitoli finali di *Io sono vivo, voi siete morti* e già le sue parole basterebbero a rendere Joan irresistibile. Ma non sono il corpo flessuoso o la sensibilità radiosa le ragioni profonde per cui conquista Philip. Né sono il talento o la follia di lui a conquistare Joan. Tra i due, che si riconoscono come amanti reincarnati, nasce e cresce un rapporto sintetizzato da una sigla di tre lettere: TLC, che sta per *Tender Loving Care*, prendersi amorevolmente cura di qualcuno. Lui desiderava qualcuno che lo facesse. Lei, farlo per qualcuno. Questo però è quel che accade, sono le azioni: lui che passa tutta l'estate a nord, staccato dal proprio mondo, lei che gli tiene la mano in aereo mentre vanno in Francia dove sarà ridicolizzato, e tutti quei giorni e quelle notti trascorsi "nella penombra dell'appartamento con le tapparelle abbassate, sfiorandosi la faccia con la punta delle dita come fanno i ciechi, continuando a parlare [...], riconoscendo nelle conversazioni improvvisate il testo di una recita scritta apposta per loro, dimenticando che l'autore fosse Dick, o forse credendo che gli fosse stata dettata da qualcun altro".

Ma sotto le azioni c'è il loro fondamento, senza il quale nessuna TLC sarebbe possibile. Quel fondamento si chiama accettazione. Non sognate di essere adorati: gli idoli pagani sono fatti, come le statue dei dittatori, o i dittatori stessi, per essere distrutti nella polvere di una ferocia accumulata sotto la maschera della viltà. Non chiedete ammirazione, devozione o altro sentimento-sensazione destinato a non superare la prova dei fatti e del tempo. Firmate per l'accettazione. E non pensiate di esservi accontentati. Non è poco. È tutto. I più pericolosi nelle relazioni sono quelli che vi scelgono e poi vi rigettano con la motivazione: "Pensavo saresti cambiato/a". Una persona non è un appartamento, non si può ristrutturare: buttare giù le pareti e farne un loft, mansardare, creare un secondo bagno. Se è uno chalet di campagna non diventerà mai un attico in centro. Tanto vale continuare la ricerca. Al netto della sindrome di Barigazzi, esiste sicuramente un modello più affine, ma quel che lo rende tale è anche la capacità di accettarlo.

Siamo tutti, più o meno, insopportabili. I fautori della solitudine come stato naturale non hanno tutti i torti, ma ne hanno molti. Certo, pochi esseri umani come gli scrittori appaiono una tassa sulla vita in comune. Leggere le loro biografie è come entrare in una galleria di depressi, narcisi, traditori, pateticamente lontani. Sarà lo spauramento di andare là fuori nudi, coperti soltanto di parole, sotto il tiro dei recensori, dei lettori, di chiunque giudichi da una copertina. Philip K. Dick, monogamo seriale, raffigurava le mogli di cui si disgustava in forma di aliene/alienate terrestri, vagheggiava culti improbabili, si era perso nel suo stesso labirinto. Non è facile vivere accanto a gente che scrive. Non è facile vivere accanto a chiunque. Specie se non è il tuo genere. Accettare è il primo modo di amare. Nell'innamoramento si trasfigura l'altra persona, abbagliati dalla luce del momento. L'idealizzazione cede poi il passo alla realtà. L'oggetto di ammirazione assoluta si trasforma in un relativo cialtrone, che ha paura di volare e si concede esibizioni da zimbello. È allora che bisogna stargli o starle accanto con immutata fierezza e accresciuta comprensione. L'accettazione non è una forma di rassegnazione, ma una matura adesione alla realtà. Si spengono i fari e resta il buio della sera, un fagotto sull'altro lato del letto, che fatica a dormire, appesantito dai problemi comuni e da qualcuno più originale. Quasi tutti abbiamo gli stessi sogni, ognuno ha i propri incubi.

Da bambino non avevo una cameretta. Dormivo nel salotto di casa, in un divano letto di velluto nocciola. La sera venivano tolti i cuscini e, sollevando i braccioli, si alzava il materasso sottostante, che si allontanava dallo schienale. Si creava così, sul mio fianco sinistro, uno spazio di buio nel buio, dove pensavo si trovasse... l'eternità. Non ho mai avuto problemi con la morte: la morte era come addormentarsi. Il problema era cadere in quel vuoto, nel vuoto chiamato eternità, nell'infinita ripetizione che avrebbe reso intollerabile anche il più gioioso dei momenti – il gol inatteso segnato tirando al volo su cross da calcio d'angolo con la maglia della squadra di classe in cui avrei dovuto fare la riserva, lo sguardo complice della bambina nata il mio stesso giorno come una profezia che si autoavvera, la notte dei cocomeri dolci con tutti gli zii che ridevano, ogni cosa, per sempre. Non riuscivo a dormire, dalla parte dell'eternità. Quanti anni ci sono voluti per poter riposare su quel fianco? Tutti quelli necessari per raccontare a qualcuno che l'eternità mi aspetta di lato e io non riesco a farmene una ragione, anche se fosse l'infinito replay del nostro istante più felice. E sentirsi rispondere: va bene.

Alla fine di un curioso libro dello scrittore americano David Schickler intitolato *Baciarsi a Manhattan*, lui e lei, James e Rally, si ritrovano, al fondo di una notte drammatica, nella caffetteria di un ospedale, circondati da bambini ricoverati che giocano con un palloncino verde, in quel momento sospeso sulle loro teste. È allora che lui dice: "Devo confessarti una cosa su di me. È una cosa molto importante".

Lei dice: "Va bene".

Lui esita: "È una cosa che faccio".

Lei ripete: "Va bene".

James immagina che Rally stia pensando si tratti di qualcosa di criminale o di perverso, comunque difficile da raccontare a chiunque, specialmente alla persona da cui si desidera essere riamati. Poi guarda i bambini malati, il palloncino verde che continua a fluttuare, le mani di lei che stringono le sue, e finalmente lo dice: "Io parlo con il mio ascensore".

"Prego?"

"Io parlo con Otis, l'ascensore del mio palazzo. Lo faccio tutte le notti per un'ora, circa. Mi ci chiudo dentro e lo blocco tra due piani, poi mi siedo a gambe incrociate, mi dondolo avanti e indietro e parlo con Otis, l'ascensore, di qualunque cosa al mondo."

"Tu... tu fai cosa?"

Lei sembra turbata, ma anche curiosa di saperne di più, forte e fragile al tempo stesso, ma soprattutto sembra, anzi è, disposta ad accettare quella cosa: che lui parli al suo ascensore Otis, per un'ora circa, tutte le notti, di qualunque cosa al mondo.

Abbiamo più paura di confessare una debolezza che un crimine, di mostrarci per difetto che per eccesso. E non è più soltanto malintesa virilità, travalica i generi. Lo raccontiamo a preti o terapeuti, ma non alla persona che amiamo, perché temiamo non capirebbe e ci respingerebbe. Vorrebbe dire che è la persona sbagliata.

Nel romanzo di George Orwell *1984* chi viene condotto nella stanza 101 è costretto a vivere la sua peggiore paura per essere indotto a tradire chi ama, essendo l'amore un sentimento proibito. Era, quando uscì, un romanzo di fantascienza. Nella realtà in cui viviamo siamo tutti nella stanza 101, ma se accanto abbiamo qualcuno in cui crediamo è a quella persona che dobbiamo confessare la nostra più grande paura per vederla svanire.

Per favore, puoi dormire dal lato dell'eternità?

Va bene.

Poi, dopo qualche tempo e direi quasi inevitabilmente, la bella Joan Simpson, con tutta la TLC possibile, si stancò di Philip K. Dick e della sua disperazione e se ne tornò a nord, da dove era venuta. Non sempre c'è il lieto fine, accettalo. Anche questo. Accettare il finale di una storia, per disamore, sopravvenuto nuovo amore o qualsiasi altra ragione, è il rovescio di una medaglia al valore. È, anche, la sola paura che non si possa condividere. Se succede, non era l'ultimo amore. Continua a camminare, con gli occhi e il cuore aperti. Respira forte, fai un viaggio da solo usando un mezzo di trasporto che non ti è familiare, non iscriverti a un corso di resilienza o a un sito di incontri, chiudi il tuo orologio prezioso in un cassetto, scrivi una lettera a mano, indirizzala a te stesso, spediscitela per raccomandata, firma una ricevuta per accettazione.

Accetta che il tempo scorra, i fili sciolti cerchino nuovi intrecci. E credimi, lo dico dalla città che più non lascerò: quando tutto sembra finito, può sempre ricominciare. Un pomeriggio, in una palestra, in America.

Something Sweet

L'appuntamento è all'una, davanti a un caffè ristorante della cittadina di Middletown, centoventi chilometri a nord di New York, chiamato Something Sweet, "qualcosa di dolce". È stato il luogo del loro primo appuntamento.

Lui mi ha annunciato al telefono che arriverà a bordo di una Toyota Corolla di colore rosso: "La stessa a cui ho attaccato i barattoli e la scritta JUST MARRIED il giorno delle nozze". Sta per scoccare il primo anniversario e non ci sarebbe niente di strano se lui, Alvin, non avesse novantacinque anni e lei, Gertrud, non stesse per compierne cento. Ieri sposi. Per sempre. E ci mancherebbe altro. Avevo letto di loro sul "New York Times" e li ho cercati per guardarli in faccia mentre raccontavano la storia del loro ultimo amore, ma lui ha premesso, con dispiacere, che verrà solo, perché sua moglie è caduta pochi giorni fa e non se la sente di camminare. Ha aggiunto, con orgoglio, che il suo aspetto mi trarrà in inganno, perché dimostra "vent'anni di meno".

L'auto rossa ha un solo occupante: guida lui. Infilati con una stanghetta nello scollo della maglietta gialla, porta un paio di occhiali che non usa, comprati, mi spiegherà fiero, per ventisette dollari in un emporio, senza prescrizione dell'oculista. Attraversa rapido, indossa i pantaloni grigi di una tuta da ginnastica: è appena stato in palestra, quella dove ha conosciuto Gertrud nove anni fa. Ha molti capelli bianchi e quando finalmente lo vedo da vicino e gli stringo la mano noto una forte somiglianza con l'attore canadese Christopher Plummer, di sei anni più giovane, lui pure sposato tre volte.

Aspettando Alvin a Middletown ho conosciuto un barista portoricano, un sarto italiano e una custode ucraina. Tutti ricordavano il matrimonio come l'evento dell'anno precedente. Lo aveva celebrato il sindaco. Aveva ereditato la carica da Gertrud, che lo era stata per due mandati, quando già aveva superato i settanta e si era impegnata a far costruire la biblioteca e ristrutturare il teatro. La conoscevano tutti e tutti l'amavano. C'erano cinquanta invitati alla cerimonia, ma l'intero paese in strada. Erano presenti sette figli, dodici nipoti e sette bisnipoti. Assente giustificato, ma non per questo meno rimpianto, il fratello maggiore di lei, anni centotré, residente sull'altra costa, in California, a sei ore di volo. La sposa era apparsa sulle note di *Somewhere over the Rainbow*. Rispettando ogni tradizione aveva lanciato il bouquet e mostrato la giarrettiera azzurra. Avevano ballato fino a tardi, se esiste un tardi.

E adesso vivono felici e contenti?

Alvin conosce già tutte le domande e ha pronte le risposte. Parte da lontano perché è da lontano che viene. Si è laureato in Storia a novantatré anni e ha detto: "Non è stato difficile, la maggior parte delle cose che dovevo studiare le avevo vissute". Ma la maggior parte delle cose che ha vissuto non le ha studiate. Accade quasi sempre così: per noi, sono le nostre stesse vite il più irrisolto dei misteri. Affidiamo ad altri il compito di interpretare decisioni il cui senso tendiamo a fraintendere. A volte li paghiamo perfino, questi traduttori dalla nostra lingua. Altre volte semplicemente ci sediamo con loro al tavolino di un caffè e ordiniamo qualcosa di dolce. Non sempre ci azzeccano, molto dipende dalla fiducia con cui consegniamo a questi estranei quella catasta confusa di eventi, aneddoti, sovrapposizioni tra realtà e immaginazione che chiamiamo la memoria della nostra vita. Esponendola, perfino in scala 1:1, non la spieghiamo, perché non è nella riproduzione completa che si coglie la verità, ma in qualche passaggio, a volte in un particolare. È una presunzione dell'interlocutore quella di saperlo cogliere, attenuata dall'allenamento all'attenzione e dall'interesse per le vite altrui più ancora che per la propria. Nel caso mio e di Alvin credo che lui sia stato un narratore generoso, io un ascoltatore cauto, e che il nocciolo della questione, dopo quasi un secolo, si riducesse (si fa per dire) a una guerra e due gatti.

Ma è il suo racconto a far fede. Alvin Mann, dunque, nasce nel 1923, da una famiglia in cui gli uomini muoiono regolarmente prima dei sessant'anni. Per questo farà una festa quando li compirà. E un'altra per i settanta. Gli ottanta. I novanta. E per i cento dell'ultima moglie, in attesa dei suoi. A vent'anni parte per la guerra, arruolato in marina. Ricorda una mattina in cui uscì sul ponte della sua nave e vide che tutte le altre salpate insieme erano state affondate da siluri nemici. Diversi cadaveri galleggiavano sull'acqua. Fu la prima volta in cui pensò: tutto quello che devi fare è sopravvivere. Se ci riesci, poi le cose cambiano. Puoi essere repubblicano, devi solo sopravvivere alla presidenza Obama. O essere democratico, e fare lo stesso con Trump. Sopravvivere e provare a rivivere. Nell'euforia del dopoguerra, tra i coriandoli nelle strade delle capitali e le possibilità nei cuori, Alvin si sposò per la prima volta. Lei era comunista e aveva la madre vedova a carico, ma nell'entusiasmo gli parvero dettagli. Erano invece idee diverse della vita in comune: quella di lei prevedeva piccole comunità e una terza presenza nella casa, quella di lui New York e la suocera in un altro appartamento. Divorziarono. Lui si trasferì nel Greenwich Village, dove negli anni sessanta poteva davvero accadere di tutto, perfino vedere un futuro Nobel per la letteratura provare accordi con la chitarra sulle scale antincendio del palazzo di fronte.

O innamorarsi senza chiedersi se fosse di nuovo o per la prima volta. A una festa conobbe Maybelle e dopo cinque anni la sposò, "perché, anche nel Village, dopo cinque anni le cose dovevano diventare regolari".

Alvin Mann è di origini ebree, ma non è praticante. Ha sempre votato democratico, tendenza *liberal*. Fece parte del primo contingente di americani – erano cinquantadue – che visitò quella che allora si chiamava Unione Sovietica, senza ricavarne impressioni definitive. Non ha mai svolto attività rivoluzionarie o artistiche. Aprì una compagnia che forniva servizi d'ufficio a tempo determinato ed ebbe un discreto successo. Sua moglie Maybelle si dedicò alla storia dell'arte, scrivendo libri. A sessant'anni lui si ritirò dagli affari, chiusero casa e se ne andarono sei mesi in viaggio per l'Europa: Italia, Grecia, Francia, Spagna. Videro un'infinità di cose meravigliose, litigarono soltanto giocando a bridge, quindi buttarono le carte in mare. Ricordando quel periodo gli si illumina lo sguardo, posa il sandwich al tonno e dice una frase che tutti dovremmo poter dire della nostra vita, almeno di una fase della nostra vita: "*We were deliriously happy*". Non credo di riuscire a tradurlo: "felici alla follia" non rende. Quando Alvin dice *deliriously happy* suonano le campane in un villaggio dell'Italia meridionale, la risacca del Mar Egeo si mescola con la risata di una donna che conosce i segreti delle sculture di Fidia, piove sul tetto di una casa in Provenza, con le finestre aperte sul giardino dove è sempre primavera. E tutto il resto non ha la minima importanza, né tempo né spazio. Di questo, esattamente di questo, non parlano – anzi, evitano di parlare – le religioni, la politica, l'educazione familiare, avvolte in un cilicio di aspettative e falsi obiettivi: di come lo scopo del gioco sia poter dire di essere stati nient'altro che così, *deliriously happy*. Poi Alvin e Maybelle tornarono a casa, presero due gatti, Saul e Molly, fecero la loro vita, tra l'appartamento di New York e una stamberga tra le alture dei

Catskill che Alvin si mise ostinatamente a ristrutturare. Nel 2002 Maybelle morì. Tempo dopo ad Alvin toccò sopprimere il gatto Saul. Vedendolo rientrare solo, Molly lo guardò interrogativa, lo seguì con vana insistenza, poi rifiutò il cibo, si mise in un angolo dove restava ferma senza però dormire e dopo due settimane morì. Alvin si trasferì nella casa tra le alture, prese altri due gatti, Charlie e Susie, imparò a tagliare la legna, cominciò ad andare in palestra. Un amico gli disse: "Vorrei presentarti una ragazza, si sta allenando nell'altra sala".

Gertrud era nata a New York, dove aveva studiato da biologa. A ventitré anni aveva sposato un cardiologo. Da anziani si erano trasferiti più a nord, in quella cittadina dove tutti li conoscevano e li stimavano. Lei si era scoperta una passione matura per le attività sociali. Considerava la politica un modo per occuparsi degli altri con qualche possibilità in più di riuscirci. Già ottantenne, tentò invano di farsi eleggere al senato. Rimase vedova nel 2007, dopo sessantun anni di matrimonio. Cominciò ad andare in palestra. Due anni più tardi un amico le disse: "Vorrei presentarti un ragazzo, si sta allenando nell'altra sala".

Si guardarono, si diedero quel primo appuntamento a questo tavolo, da Something Sweet. Mangiarono poco e parlarono molto, decisero di rivedersi, con cautela. Lui le suggerì di vestirsi elegante per la loro seconda volta e aggiunse che sarebbe passato a prenderla alle cinque sulla sua Corolla rossa. Fu puntuale, in abito scuro, la portò a New York, al Metropolitan. Lei non era mai stata all'opera, ma fu conquistata, dal *Trovatore* e da altro. Divennero incontri regolari e regolari spedizioni nella grande città, che Alvin trovava insopportabilmente cambiata. Per lui anche Middletown era troppo. Preferiva la sua casa isolata tra i boschi, dove la condusse a cena una sera. Fu lei a decidere di restare. Ancora lei a scegliere di coricarsi al suo fianco. Sempre lei, otto anni più tardi, sulla strada del ritorno da New York, a proporre il matrimonio. Alvin non ebbe esitazioni: accettò. Considerò che avevano già fatto tanto separatamente: non restava loro che concludere insieme. Fece anche un calcolo tanto semplice quanto aleatorio: di solito le donne vivono di più, ma dato che Gertrud aveva cinque anni più di lui c'erano ottime possibilità, questa volta, di morire insieme risparmiando l'uno all'altra il dolore di un nuovo lutto. La cerimonia del maggio 2017 è stata raccontata da tutti i giornali d'America come una favola, quindi si è chiusa con le rituali parole "e vissero felici e contenti" che rappresentano, in realtà, una formula di pietosa omertà sul dopo.

Quel che accadde, dopo, lo sa Alvin. Ed è la quasi perfetta equazione dell'amore, non solo ultimo. Non è consolante che per arrivarci occorra aver vissuto oltre novant'anni, commesso qualche errore, conosciuto un grande dolore, rifiutato di fare la fine del gatto, ma quel che devi fare non è soltanto sopravvivere, è anche imparare. Ad esempio, che l'ultimo amore ti arriva imballato con la scritta FRAGILE e devi maneggiarlo con cura, evitando gli sbagli già commessi. Se viviamo a lungo dobbiamo predisporci all'idea di relazioni interrotte – dal disamore, proprio o altrui, dal caso o dalle contingenze che cancellano un'altra vita. Si riparte, a trent'anni o a novanta, per concludere insieme a qualcun altro, perfino quando, come Alvin, si ama la propria solitudine. Si è imparato che un'unione non è una sovrapposizione, il cerchio bianco che si posa su quello nero soffocandolo, o viceversa. È piuttosto la congiunzione di due cerchi come quelli olimpici, che acquisiscono una parte comune e ne mantengono una separata, e così facendo risultano vincenti.

Gertrud si è rivelata una "ragazza di città". Nella casa tra i boschi si annoiava: nessun altro con cui parlare, troppo poco da fare, perfino troppo silenzio. Alvin invece si è scoperto un "ragazzo di campagna": ama tagliare la legna, allevare animali, guardare un cielo più grande. Nessuno dei due ha costretto l'altro a cedere: lui scende in città il venerdì, riparte il lunedì. Dal martedì al giovedì si telefonano, anche tre volte al giorno, sempre e comunque la sera, per darsi la buonanotte. Nel romanzo di Kent Haruf *Le nostre anime di notte*, due anziani, Addie e Louis, si incontrano e decidono che sono stati soli troppo tempo. Lei gli propone: "Ti andrebbe di venire a dormire da me? E parlare? Sto dicendo di attraversare la notte insieme. Parlare di notte, al buio". Lui accetta. Lo fanno. A ostacolare la loro particolare relazione, in nome della morale, sarà il figlio di lei. Crederà di essere riuscito a interromperla, ma così non sarà. Li terrà lontani, impedendo loro di vedersi. Riprenderanno però a fare la cosa che davvero li unisce: parlarsi, di notte.

Sei in camera da letto?
Sì, stavo leggendo. È un po' come fare sesso telefonico?
Siamo soltanto due vecchi che parlano al buio, rispose Addie.
Di cosa vuoi parlare stasera?
Fa freddo lì, tesoro?
Abbastanza, Gertrud, sai come sono le notti quassù, ma io le amo così.
Sei un ragazzo dei boschi, Alvin, lo sarai per sempre.

I figli di Gertrud e Alvin, invece, erano al matrimonio. E alla festa per i cent'anni. Quando incontro Alvin sono in corso i preparativi. È stata anticipata di un mese per rispettare gli impegni di tutti i parenti sparsi per l'America. Cinquanta invitati, come alle nozze. Alvin non sa ancora che cosa regalerà a Gertrud. Vorrebbe farle scegliere qualcosa a New York quando, una volta al mese, ancora ci vanno, sulla Corolla rossa guidata da lui, per assistere all'opera. Ma più di tutto gli piacerebbe regalarle un ultimo viaggio in Europa, qualcosa che lei possa vivere e dimenticare, come un bagaglio nella cappelliera dell'aereo, che lui solo potrà andare a recuperare, ogni sera, per raccontarglielo al telefono prima di addormentarsi. Ha messo da parte una serie di storie: come si sono incontrati, la prima volta che hanno dormito insieme, il ballo alle nozze, fiabe della buonanotte per una ragazza che ha perduto la memoria e ritrovato il sonno.

Alvin non ha bisogno di pillole per dormire: chiude gli occhi e sogna. Si addormenta sereno e si sveglia contento, non ha rimpianti, non ha ambizioni. Ha fatto tutto come si deve: ha staccato la spina al primo amore quando non c'era più corrente e sarebbe stata vita artificiale per entrambi, è stato *deliriously happy* quando i tempi lo consentivano, ha conosciuto il dolore, evitato la rovina, è sopravvissuto e ha continuato ad amare, fino in fondo, in un modo che definirei, letteralmente, raffinato, passato al filtro dell'esperienza e della conoscenza. L'ultimo amore di Gertrud e Alvin è una sintesi assoluta delle possibilità. Splende il sole sia sulla casa in cima alla collina sia su quella in città. Sono divisi e insieme. Sono quello che vogliono essere in ogni singolo istante, evoluti e liberi. Le loro anime congiunte prima della notte si parlano e continueranno a farlo per sempre. È un privilegio averle potute ascoltare.

Nel documentario che Wim Wenders gli ha dedicato, papa Francesco racconta la storia di un bambino di otto anni gravemente malato a cui lui telefona quando è ormai stremato e da cui si sente dire: "Grazie. Grazie". Ne conclude, con il sorriso che spesso lo accompagna, che è riuscito a "riconciliarsi con la morte". Credo sia importante, ma ancor più lo sia, quando cala la sera sulla collina, riconciliarsi con la vita, con la propria vita, riconoscerla, amarla, perdonarla, accompagnarla prendendola per mano verso l'altra stanza.

L'ultima vita, meravigliosa

La sera, tornato a New York, sono andato a Broadway per ascoltare Bruce Springsteen in teatro. Il Walter Kerr è una delle bomboniere intorno a Times Square. Il pubblico aveva, più o meno, l'età dell'artista: quasi tutti sopra i sessanta. Molti erano spettatori seriali, avevano visto decine, addirittura centinaia, di concerti nel mondo. Non so che cosa facessero nel tempo libero. Il mio vicino era a quota 287 e aveva una delle chitarre di Springsteen tatuata sul braccio. Non era un teatro, piuttosto una chiesa. Non un pubblico, un'adunata di fedeli. E non un concerto, nemmeno una messa, ma un incontro tra due anime, una individuale e l'altra collettiva, una lunga confessione a tratti accompagnata dalla musica, inevitabile prodotto – molto più che colonna sonora – del racconto. L'artista ha parlato a lungo dei suoi genitori e del loro amore sbilenco: lui sempre furioso con il destino, lei sempre pronta per il prossimo ballo. Ha raccontato la sua irresistibile voglia di correre lontano dalla trappola dov'era nato per poi finire a vivere a dieci chilometri da lì. Ha ricordato tutti quelli che ha perduto, con slanci d'affetto. In sostanza: la vita e la morte. Ogni raccolta di canzoni, ogni dipinto, ogni libro, ha questo per tema di fondo.

Un libro di viaggi è un libro sulla vita e la morte. Un libro di cucina è un libro sulla vita e la morte. Questo è un libro sulla vita e la morte. A essere più precisi, un libro sull'ultima vita prima della morte. Siccome non puoi sapere quando morirai, tocca a te decidere quando sei entrato nella fase finale, poi può durare un anno o trenta, non è quello il punto. È la fase in cui superi le incertezze, cancelli dal retrovisore il rimpianto, sei a posto. Se non ci arrivi, vuol dire che sei morto prima e hai continuato a camminare come uno zombie in una serie televisiva registrata, che ti sei dimenticato di guardare. Tempo sprecato. Hai vissuto invano, confessalo pure. L'ultima vita è quella in cui non hai più tempo da perdere, non importa quanto te ne resti. Nel film di Paolo Sorrentino *La grande bellezza*, il protagonista Jep Gambardella, interpretato da Toni Servillo, lascia anzitempo la casa di una futile conquista e declama tra sé: "La più consistente scoperta che ho fatto pochi giorni dopo aver compiuto sessantacinque anni è che non posso più perdere tempo a fare cose che non mi va di fare".

Ci ha messo molto, ma ci è arrivato. È come arrivare all'ultimo amore: smetti finalmente di perdere tempo, trovi un senso, non ti tormenti più. Non è una questione di età, ma di consapevolezza. Non ogni amore produce questo effetto, esiste una differenza tra un grande amore e un amore definitivo. Così come tra il picco più alto di un'esistenza e quello in cui ci si assesta e, alleluia, si sa chi si è. Si tende a credere, perché te lo fanno credere, che la vita abbia un percorso "morale" predefinito, un po' come quello fisico. Il più diffuso dei luoghi comuni è quello per cui "si nasce incendiari, si finisce pompieri", tradotto politicamente con "se hai vent'anni e non sei rivoluzionario non hai cuore, se ne hai quaranta e non sei conservatore non hai cervello". Perché non il contrario, perché non morire rivoluzionari e rivoluzionati? E perché sprecare sessantacinque anni a fare cose che non ci andava di fare, con il rischio di continuare a cambiare senza mai diventare noi stessi, ma soltanto proiezioni e brutte copie?

Proprio perché ho cambiato molto, ho anche cominciato a diffidare di chi non smette di farlo. A un certo punto subentrano svolte che sanno più di matrimoni d'interesse che d'amore. A cinquant'anni diventi un liberista moderato perché hai la seconda casa, o viceversa un contestatore furioso perché hai perso il posto di lavoro a causa di una crisi di mercato. Ti scopri una fede politica in cambio di un incarico di sottogoverno o un posto nella pubblica amministrazione. A settant'anni ti converti perché hai paura di morire, a venti perché hai paura di vivere. È vero: solo gli idioti non cambiano mai idea, ma lo sono altrettanto quelli che la cambiano sempre. A un approdo devi arrivare. Come? Come in tutte le scelte della vita: intanto, procedi per esclusione. Nel romanzo di Dave Eggers *Eroi della frontiera* ho sottolineato questo passaggio: "Le si svelò una verità: gli uomini anziani non sono confusi. Non vanno in sette direzioni diverse. Un pensionato sa che cosa non vuole, e per chi di noi è stato ridotto in polvere una, o anche più volte, e ha trovato comunque il modo di tirare avanti, sapere che cosa non vuoi è molto più importante che sapere che cosa vuoi".

Sottolineato due volte: *Sapere che cosa non vuoi è molto più importante che sapere che cosa vuoi.*

Occorre davvero diventare anziani, andare addirittura in pensione, per riuscirci? Come occorre il trauma (essere ridotto in polvere una o più volte) per capire che cosa è importante? Non possiamo fare uno sforzo d'immaginazione e smettere molto prima di andare "in sette direzioni diverse"?

Smetti di provare nuove droghe, hanno un effetto comune: ti rendono schiavo. Smetti di cercare un'altra religione: vedi sopra. Dopo due incontri al buio con persone conosciute su internet, il terzo che incroci ti ammazza o vorresti ammazzarlo tu. Stai bene con il bianco, con il blu, con i due colori abbinati, lascia perdere i pantaloni rossi, le giacche verdi, i maglioni grigi e, soprattutto, i calzini fantasia, la fantasia non si calpesta mai. Se non sopporti più la metropoli vai a vivere in campagna. Se la campagna ti ha estenuato di grilli, non uccidere l'usignolo, trasferisciti in città, ma lascia perdere l'andirivieni selvaggio e i ripensamenti notturni alla luce dei fari. Fermati, prima di diventare un Barigazzi in servizio permanente. Se, come elettore, hai votato per tre partiti diversi, non dare la colpa a loro, e soprattutto non dire che i politici sono tutti uguali – lo sono per te. La storia delle dottrine politiche, come quella degli individui, propone un numero limitato di modelli tra cui scegliere. Se continui a sperimentare e non ti accorgi di essere ripassato dal via, il problema sei tu. Non inventeranno un nuovo modello di individuo o di società apposta per te, dovrai scegliere tra quelli esistenti, con le opportune variazioni di colore, interni e qualche optional. Se pensi che il punto sia fartela piacere, sei fuori strada. Il punto è: piacerti, riconoscerti in quello che sei diventato, proporre una versione evoluta di te stesso, dando un senso a tutti i tuoi errori, senza mai giustificarli. Se non hai sprecato gli anni arriverai all'ultima vita (il più in fretta possibile) e la farai durare (il più a lungo possibile), accanto al tuo ultimo amore.

Indecisione e illusione sono avversarie della felicità. Mi affiora un ricordo lontano, che con l'amore ha a che fare poco, un po' sì, ma molto poco. Ero in Germania per seguire i Mondiali di calcio del 2006 e mi trovavo per qualche giorno a Francoforte. Nella strada parallela al mio albergo sorgevano quattro palazzi di cinque o sei piani completamente adibiti a bordelli. Per curiosità una sera entrai nel primo, accodandomi a una rumorosa comitiva di tifosi olandesi. L'edificio era scarno, come fosse incompleto o in corso di abbandono. I pianerottoli erano nella semioscurità e su ciascuno si affacciavano una decina di porte. Su quelle aperte sostava una prostituta retroilluminata che invitava a entrare. Primo palazzo, primo piano, tutti proseguivano per vedere che cosa poteva riservare il secondo piano, il terzo, l'ultimo, il palazzo seguente, dal basso all'alto, il terzo, il quarto. Le gambe si stancavano. Le facce e i corpi visti si confondevano. Come in quei giochi di memoria in cui si sparpagliano sul tavolo le carte coperte e devi accoppiarle alzandone due alla volta, ognuno cercava infine di ricordare dove avesse visto la maliziosa malese o la procace bulgara con cui avrebbe voluto congiungersi, ma era impossibile riuscirci. Terzo piano del secondo palazzo o secondo piano del terzo? Bisognava prendere un appunto, come quando si lascia l'automobile nel garage multipiano di un centro commerciale. Potevano fare le strisce colorate sui muri almeno, no? Tornare indietro era una dannazione, perché magari s'indovinavano palazzo e piano, ma la porta nel frattempo si era chiusa per l'arrivo di un indigeno esperto e deciso. Gli olandesi continuarono a vagare, avanti e indietro, su e giù, cercando la perduta dea della perfezione o qualcuna che le somigliasse. Invano. Non ritrovandola, finirono per uscire, sedersi all'esterno di un bar tristemente essenziale, sotto ombrelloni colorati nella notte tedesca, e ordinare un giro di birre.

Ci sono tre pericoli sulla strada: fermarsi prima di partire immaginando che il percorso riserverà amarezze, modello Kierkegaard; fermarsi alla prima stazione per paura del dopo, della solitudine o di James Dean; non fermarsi mai e morire vagando in un bordello multipiano di Francoforte inseguendo una divinità su misura, un movimento politico di duri e, soprattutto, puri – la porta aperta oltre la quale sta la perfezione altrui, miraggio per non riconoscere il deserto in se stessi.

Bruce Springsteen racconta: "Sono stato laggiù nel deserto, cercando nella polvere, aspettando un segnale. Inseguendo un miraggio, guidando tutta notte molto presto prenderò il controllo della situazione". E a quel segnale, sulle note di *Promised Land*, la terra promessa, entra silenziosamente sul palco Patti Scialfa, la donna promessa, seconda moglie, ultimo amore. Si conobbero giovanissimi. Lui la respinse a un provino, ma più tardi la accolse nella band. Mentre si esibivano insieme era evidente a tutti, da subito, la chimica che li univa. Eppure lui sposò un'altra. Impiegò otto anni per disamorarsene e correre, finalmente, da Patti. Hanno avuto i loro alti e bassi, come è normale che sia, ma ora è acqua passata, appaiono inseparabili e perfetti mentre, ancora insieme, suonano la stessa musica. Niente potrebbe essere più simbolico, alla fine di un percorso: avere imparato a suonare la stessa musica.

Ho detto all'inizio che l'amore non si può racchiudere in una definizione, ma soltanto in una storia, forse. O in una serie di storie. Per l'ultimo amore esiste una possibilità. La trovai nella primavera del 2003, in una libreria di Beirut, sfogliando il libro più venduto in una lingua che conoscessi, un testo in inglese dal titolo: *The Last Migration*, l'ultima migrazione. Autore: un tal Jad El Hage. Era un romanzo autobiografico. Il protagonista lasciava il Libano durante la guerra civile e iniziava un lungo esodo a tappe che lo portava in vari Paesi, in una prigione, in un ospedale dove si curava il cancro. Francia, Canada, Svezia, Australia. Attentati falliti, vendette sfiorate, nostalgia. Si sposava, aveva un figlio, si separava. Emigrava, lottava, soffriva. Infine tornava in Libano e conosceva la donna con cui fermarsi, in una casa di pietra fra le montagne, vicino a quella che fu la residenza del poeta Khalil Gibran.

Pacificato infine, Jad El Hage scriveva: "*Love is the end of waiting*", l'amore è la fine dell'attesa. Quando lessi quella frase mi fermai, come accade di fronte alla possibile soluzione di un enigma. Ecco. Forse ci siamo. Basta aggiungere un aggettivo: l'*ultimo* amore è la fine dell'attesa. Tu vivi aspettando qualcosa che ti tolga l'affanno, ti faccia smettere di cercare, di pensare che esista un'altra, migliore possibilità. Di stare alla fermata della metropolitana e guardare le porte chiudersi, i vagoni affollati, i volti ai finestrini, con un misterioso rimpianto, come se tra quelli che irrimediabilmente fuggono via potesse esserci quello giusto, soave, definitivo, quello che aspettavi da una vita, la fine dell'attesa.

Smetti di aspettare non quando perdi la speranza, ma quando l'hai trovata. Quando non ti giri più a guardare chi va nell'altra direzione sulla scala mobile. Quando non invochi più il domani perché domani è adesso. Quando non hai più paura di morire perché hai vissuto.

A pacificarti possono essere soltanto l'amore o la morte. Meglio l'amore, no? Per un'altra persona, per una causa, per gli altri, alla fine per te stesso, ma in un modo nobile e duraturo.

Ho poi conosciuto Jad El Hage: aveva baffetti inaffidabili e si rivelò corrispondente alla fisiognomica. Tuttavia, lasciando Beirut lo abbracciai: non serbavo rancore, non avrei avuto nostalgia. Anch'io migravo un'altra volta. Non avevo idea se e quando l'attesa sarebbe finita. Me ne andai che era notte, pensando che in volo l'alba sarebbe arrivata prima, che in un certo senso le stavo andando incontro, che stavo accorciando la notte. Amo la notte, soprattutto se è estate alle Isole Lofoten, in Norvegia, e non devi aspettare che arrivi la luce: è sempre con te. Le Lofoten d'estate, il luogo della luce permanente.

È sempre la stessa storia, è sempre lo stesso viaggio, non a caso diciamo di quando nasciamo che *veniamo alla luce*. Poi camminiamo a zigzag, inciampiamo, prendiamo scorciatoie sbagliate e finiamo in vicoli oscuri, dove proviamo a innamorarci del buio. Ci agitiamo, non stiamo fermi un attimo, procedendo verso quella che abbiamo immaginato come l'oscurità definitiva, la perenne notte nera. E se avessimo sbagliato proiezione?

Una sera al tramonto mi trovavo su una spiaggia della Virginia, a Cape Charles. Decine di persone intorno a me erano sedute sulla sabbia e guardavano l'orizzonte cambiare colore: un altro teatro-chiesa, un altro spettacolo-cerimonia. A pochi passi da me una madre stringeva il suo bambinetto, gli indicò la luce rosa che invadeva il cielo mentre il sole sprofondava nell'acqua e gli disse: "Vedi, è lì che sono tutti, è lì che andremo tutti, non saremo persone, ma faremo parte di quello...". Il figlio la guardava incantato. Sarebbe meraviglioso se anche finire fosse un altro modo di *venire alla luce*.

Al termine del concerto Bruce Springsteen non saluta con una canzone. Fa una cosa inattesa. Dice a tutti di evocare le persone che hanno perduto, garantisce che sono lì, intorno a noi, la loro energia come luce. China lo sguardo e invita a seguirlo, non in un ritornello familiare ma in una preghiera. Credo che tutta la nostra esistenza sia una preghiera, che tocca a noi esaudire. L'ultimo amore è una grazia che non viene concessa, ma conquistata. L'ho vista negli occhi di Alvin e Gertrud, in quelli dei miei genitori, in quelli di Lana, ma soprattutto in quelli di Carlo, che stavano entrando nell'oscurità, per andare incontro alla luce. Senza affanno, senza paura, senza fine.

Indice